Tidy First?
옮긴이 노트

Tidy First? 옮긴이 노트

켄트 벡과 옮긴이의 소통 기록, 옮긴이 특별 부록

초판 1쇄 발행 2024년 4월 19일
초판 2쇄 발행 2024년 5월 3일

지은이 안영회 / **펴낸이** 전태호
펴낸곳 한빛미디어(주) / **주소** 서울시 서대문구 연희로2길 62 한빛미디어(주) IT출판2부
전화 02-325-5544 / **팩스** 02-336-7124
등록 1999년 6월 24일 제25100-2017-000058호
ISBN 979-11-6921-241-0 94000 / 979-11-6921-242-7(세트)

총괄 송경석 / **책임편집** 박민아 / **기획 · 편집** 김종찬
디자인 이아란 / **전산편집** 백지선
영업 김형진, 장경환, 조유미 / **마케팅** 박상용, 한종진, 이행은, 김선아, 고광일, 성화정, 김한솔 / **제작** 박성우, 김정우

이 책에 대한 의견이나 오탈자 및 잘못된 내용은 출판사 홈페이지나 아래 이메일로 알려주십시오.
파본은 구매처에서 교환하실 수 있습니다. 책값은 뒤표지에 표시되어 있습니다.
한빛미디어 홈페이지 www.hanbit.co.kr / 이메일 ask@hanbit.co.kr

지금 하지 않으면 할 수 없는 일이 있습니다.
책으로 펴내고 싶은 아이디어나 원고를 메일(writer@hanbit.co.kr)로 보내주세요.
한빛미디어(주)는 여러분의 소중한 경험과 지식을 기다리고 있습니다.

Tidy First?
옮긴이 노트

켄트 벡과 옮긴이의 소통 기록,
옮긴이 특별 부록

"Make the change easy, then make the easy change"

"변화를 쉽게 만들고, 그 다음에는 쉽게 변화하라"

_켄트 벡

PART

01

켄트 백과
옮긴이의 소통 기록

PREFACE

정확하게 말하면 켄트 백과의 소통은 제가 요즘IT라는 미디어에 기고한 글 '개발자가 테스트를 보는 세 가지 관점'[1]을 링크드인에 소개할 때 그를 멘션[2]한 것에서 시작합니다. 그는 한글로 된 제 글을 자동 번역 기능을 활용하여 읽고 자신의 의견을 전하는 수고를 했는데, 그러한 행동이 저에게는 굉장히 인상적이었습니다.

Kent Beck **replied to your** comment **on** Abstract vs. Concrete Parameters.

Having read the automatically translated version I must say I'm impressed. You lay out a path to empathy for those with a different understanding of testing than your own. Programmers who sneer at testing seem to often also believe that they aren't responsible for the bugs they write. Some organizations encourage this kind of thinking. If you disagree about who is responsible for the code working, you'll certainly disagree about testing.

"자동 번역된 버전을 읽어보니 감명 깊었습니다. 테스트에 대해 자신과 다른 이해를 가진 사람들이 공감할 수 있는 길을 제시해 주셨습니다. 테스트를 비웃는 프로그래머들은 자신이 작성한 버그에 대해 책임이 없다고 생각하는 경우가 많은 것 같습니다. 일부 조직에서는 이러한 사고를 장려하기도 합니다. 코드의 작동에 대한 책임이 누구에게 있는지에 대해 동의하지 않는다면 테스트에 대해서도 동의하지 않을 것이 분명합니다." DeepL로 번역함

그림 1-1 옮긴이의 글을 자동 번역 기능으로 읽은 후 전한 켄트 백의 의견

나중에 그의 사명을 확인했습니다. 저자의 말에 나오듯 그의 사명은 괴짜들이 세상을 안전하다고 느끼도록 돕는 일입니다. 그의 관점에서 저는 괴짜였습니다. 켄트 백의 메시지를 받고, 그가 말하는 안전함을 저도 느꼈습니다. 번역에 능하지 못하더라도 소프트웨어 설계 괴짜로서 제가 하려는 일의 가치를 그가 알아볼 테고,

---

1 옮긴이_ *https://yozm.wishket.com/magazine/detail/2068/*

2 옮긴이_ 링크드인 메시지에서 그를 언급하여 그가 인지할 수 있게 한 행위를 말합니다.

심지어 그를 도울 테니까요.

그는 이런 제 기대에 충분히, 아니 기대 이상으로 부응해 주었습니다. 제가 번역을 하기로 했다는 소식을 전할 때, 그는 축하에 덧붙여서 이렇게 말했습니다(그림 1-2).

 Younghoe Ahn · 4:56 PM

Dear Kent Beck,

Your amazing book, XP, had a very positive impact on my life, and because of that impact, I wanted to translate and see your new book, and then I met a Korean publisher and was asked to translate it. I'm happy to share this news with you. The publisher gave me a tight deadline, but I promise to do my best to make it a good book.

 Kent Beck · 11:22 PM

So happy to hear that!

You can provide me a valuable service--ask lots of questions. Any time a sentence is unclear, please ask me about it. This is the best way for me to improve my writing.

그림 1-2 번역을 시작하고 주고 받은 첫 메시지

분명하지 않은 문장이 하나라도 있으면 질문하라고 말이죠. '이는 번역하는 자신만을 위해서가 아니라 구어체로 말하듯이 글을 쓰는 나의 글쓰기 역량을 높이는 최선의 방법이기 때문이라는 말'은 저에게 본보기 그 자체였습니다. 그리고 제가 질문을 몰아서 던지고, 그가 바로 답을 하지 못했을 때는, 다음과 같이 나중에 답을 하겠다고 알리는 동시에 계속 질문하도록 독려했습니다.

켄트 벡

> 다른 2개의 질문은 오늘 밤에 보겠습니다. 정말 고맙습니다.
> 부디, 계속 지금처럼 해 주세요.

> 고맙습니다. 당신의 격려하는 답변 덕분에 용기가 생깁니다. 계속하겠습니다.

안영회

더불어 그의 말에 용기를 얻어 과감하게 질문을 하게 되었고, 이 글을 쓰는 현재 시점까지 46개의 질문을 보내고 41개의 답변을 받았습니다.

여기서는 책의 순서를 따라가며 저자인 켄트 벡과 주고받은 메시지를 공유하고, 이 과정에서 제가 느낀 바와 배운 점을 알리고자 합니다.

문화적 바탕이 다른 부분과 개발 문화의 공통점

지은이의 말 중 일부는 직역하기에 무리가 있다는 지적이 있었습니다. 프로그래머 시절, 그중에서도 열정에 휩싸였던 주니어 시절을 돌아 보면 저자가 하는 말이 어떤 느낌인지 알 수 있었습니다. 하지만, 장작을 쌓아 놓고 불사르는 방식은 우리에게는 익숙하지 않은 묘사입니다

안영회

> 번역 마지막에 검토를 하면서 많은 동료가 지은이의 말에서 다음 문장을 직역하면 한국의 독자들이 어색하게 느낄 것이라고 지적했습니다.
>
> 'For me, there is a whiff of sadism in programming, a heroic self-immolation on the pyre of complexity.'
>
> 제 생각에 가학성(sadism)에 대해서 부정적 정서가 크기도 하고, 장작더미 위의 화형은 서양에서는 비교적 흔하지만, 우리 조상들에게는 드문 처형 방식이기 때문이기도 한 듯합니다. 그래서, 프로그래머들 사이에 존재하는 무의식적인 영웅주의의 어리석음에 대해 지적하는 문장으로 풀어도 될까요?

> 원서에 잘못된 글자가 있었습니다. 원래는 'sadism'이 아니라 'masochism'이어야 했습니다. 왜 우리는 변경을 하기 전에 변경을 쉽게 만들지 않을까요? '무의식적인 영웅주의'는 명백하게 설명하는 프레임이 될 수 있겠네요. 좋습니다.

켄트 벡

그래서, 어렴풋하게만 알 수 있다는 뉘앙스를 '무의식'으로 돌려서, 그에게 '무의식적인 영웅주의'로 표현할 수 있는지 물었습니다. 흔쾌히 동의하고, 그 이유까지 명료하게 쓴 메시지를 보자 기운이 솟았습니다. 서로 문화적 배경은 다르지만, 개발에 대해 통하는 부분이 분명해서 그런 것이 아닌가 싶습니다.

이 책과 켄트 벡의 사명

이 책이 시리즈로 만들어진다는 말 때문이었는지, 저는 다음 단계$^{\text{next step}}$라는 말을 보고, 순서를 따지는 질문을 했습니다.

그러고 나서 받은 대답은 저자의 헌신적인 사명 실천에 대한 기록입니다. 40년 경력 내내 다양한 방법으로 하나의 사명을 위해 헌신했다는 그의 말을 보며, XP, TDD를 포함한 그의 지난 행적들이 떠올라 숙연한 마음이 들었습니다.

당신의 사명을 설명하는 문장에서 다음 단계('next step')라는 표현이 있는데, 그렇다면 이전 단계도 있었나요?

안영회

이전 단계를 말하자면 제 40년 경력의 전체가 다양한 방식으로, 여러 단계에 걸쳐 동일한 사명을 지원한 것이 되겠네요.

켄트 벡

마이클 잭슨 노래 속 멋진 가사를 만나다

영어 단어 'proverbial'을 속담으로만 여긴 탓에 무엇을 지칭하는지 감이 오지 않았습니다. 검색을 해 보다가 '속담'이 아니라 '잠언'일 수도 있다는 사실을 깨달았습니다. 다시 한 번 저자에게 물은 결과 놀랍게도 전설의 팝 가수 마이클 잭슨의 노래를 생각하고 쓴 표현이라고 합니다.

'the proverbial person in the mirror'라는 문구가 있는데,
혹시 잠언 구절을 말씀하시는 걸까요?

안영회

마이클 잭슨의 노래가 가장 먼저 떠올랐습니다.

켄트 벡

그 덕분에 저도 유튜브로 마이클 잭슨의 노래[3]를 찾아 듣게 되었습니다.

---

3 옮긴이_ 〈Man In The Mirror〉(*https://youtu.be/PivWY9wn5ps?si=60Mrb5ar7eaLpf5g*)

1부 코드 정리법

미묘한 어감 차이를 해석하기

번역 작업은 1부에서부터 난관이 있었습니다. '기법'이나 '묘기' 같은 말로 'trick'의 어감을 살리려고 했더니 베타리더분들이 거부감을 표시했습니다. 더불어 저 스스로도 편하지 않았습니다. 이때, 켄트 벡이 마치 든든한 후원자처럼 답을 해 주었고, 돌아보니 번역 초반부터 돕던 베타리더 분들이 있어서 모험적인 표현도 던져 볼 수 있었다는 사실을 깨닫습니다.

결국 책에는 최종적인 선택 하나만 남았지만, 넓은 스펙트럼을 펼쳐 놓고 고민하는 식으로 자유롭게 번역을 했다는 사실에 안도감을 느낍니다. 책의 후반부에 나오는 경제 지식을 저에게도 적용해 보면, 주어진 시간과 번역 실력을 놓고, 더 많은 선택지를 갖는 것이 좋은(또는 경제적인) 전략입니다.

trick이란 표현을 한국말로 바꾸면 오해를 살 수 있는데,
그 대신에 technique에 해당하는 한국말로 대체해도 괜찮을까요?

안영회

trick을 technique('기술')으로 써도 좋습니다. 좀 더 친근한 표현으로 만들려고 노력하는 중이죠. 사람들은 딱딱한 소프트웨어 설계 용어를 만나면 먼저 겁부터 냅니다. 그래서 저는 'trick'이라는 친근한 표현을 좋아합니다.

켄트 벡

정확한 단어를 선택하기 위해 어감을 확인한 질문은 또 있습니다. fuzzy란 말에 대해 설명을 요구했더니 그는 연이은 메시지로 설명했습니다. 처음에는 영어로 느낌을 설명한 후에 일본말로 자신이 아는 느낌을 표현하더니, 뒤이어 챗GPT로 한국말 표현을 묻고 애교와 비슷한 개념이라고 전했습니다.

안영회

> fuzzy little refactoring이라는 말을 직역하면 의미가 살지 않습니다. 그래서, fuzzy의 어감을 좀 더 설명해 주실 수 있을까요?

켄트 벡

> 당신의 손에 작은 아기 오리가 있다고 상상해 보세요. 사람들이 정리에 대해 그렇게 느꼈으면 좋겠어요. 물론, 나머지 작업이 더 쉬워지기 때문에 정리하지만, 정리를 진행할 때 어떤 위협이나 두려움이 느껴지지 않았으면 합니다. 일본에는 카와이(귀여운) 애니메이션이란 개념이 있습니다. 그것이 제가 은유하고 싶은 것입니다. 챗GPT는 애교가 비슷한 한국말 개념이라고 말하는군요.

문화권을 넘나드는 번역을 돕는 그의 정성이 고맙고 놀라웠습니다.

코드에서 무엇을 지켜나갈 것인가?

포트란은 말만 들어 보았지 사용 경험이 없는데 포트란 예제가 등장해 켄트 벡에게 질문을 했습니다. 그는 코드 예시를 포함한 긴 설명으로 저를 이해시키려고 노력했습니다.

안영회

> 포트란을 써 본 경험이 없어서인지, 당신이 'MuLTipLe ReTuRns'에 함축한 의미를 알 수 없습니다. 설명을 부탁합니다.

켄트 벡

그 부분은 두 가지를 암시합니다.

첫째, 대소문자를 섞어 사용하는 것은 징징거리고 생각 없는 젊은이를 암시하기 위한 것입니다. 똑똑하지만 경험이 부족한 스무살 프로그래머가 알기 어렵겠죠? 그들은 단일 반환에 대한 '규칙'을 배우긴 했으나 역사나 목적을 알지 못하죠.

둘째, 포트란입니다. 소중한 메모리 공간을 절약하려고 포트란에서는 함수가 다중 진입 점 그리고 다중 종료 점 개념이 있었습니다. 코드로 표현하면 다음과 같습니다.

```
function foo
...code...
entry 2:
...code...
 if () return
entry 3:
...code...
if () return
...code...
return
```

이런 코드는 어떤 명령문이 실행되는지 정적으로 분석할 수 없습니다. 예측할 수 없으니 엉망이 되고 말죠. 그래서 사람들은 '하나의 진입/하나의 출구' 규칙을 생각해 냈습니다.

일부 중복은 생기겠지만 코드를 더 쉽게 분석할 수 있습니다.

코드 예제와 관련하여 보호 구문을 그대로 적용할 수는 없을 것입니다. 직접 시도해 보고 나서 더 궁금한 점이 생기면 말씀해 주세요.

저는 포트란 경험이 없지만, 그의 말에서 두 가지 단서를 찾았습니다. 하나는 'MuLtipLe ReTurns'라는 기괴한 문자가, 치기 어린 프로그래머의 태도를 드러내는 데 쓰였다는 점입니다. 두 번째는 메모리를 아끼던 시절의 프로그래밍 관습이란 점입니다.

보호 구문에서 'Guard'라는 영어 단어는 덕수궁 수문장 교대 의식에서 보았던 장면을 떠올리게 했습니다. 과거에는 메모리를 아끼는 일이 중요했다면, 이제는 시대가 바뀌었습니다. 복잡해지는 비즈니스에 따라 마찬가지로 복잡해지는 코드를 단순하게 지키기 위해 수문장 같은 든든한 코드로 구조를 만드는 일은 작지만 굉장히 중요한 설계 습관이 될 수 있다는 생각이 들었습니다.

그림 2-1 수문장 예시

그리고 최종적으로 문장을 만들어 갈 때, 굳이 현시점에서 'MuLTipLe ReTuRns'라는 기괴한 예시를 들고 싶지 않았습니다. 그래서, 그에게 허락을 구했을 때 그는 흔쾌히 받아 주었습니다.

안영회

당신의 설명을 듣고 다시 책 내용을 보았습니다. 조심스럽게 제 의견을 말하면, 한국의 독자들 다수가 포트란 경험이 없을 것으로 추측합니다.
그래서, 'MuLTipLe ReTuRns'로 혼선을 줄 바에는, 이 표현은 제거하고 보호 구문의 필요성을 드러내는 설명으로 대치하는 것은 어떨까요?

그렇다면, 해당 내용은 제거해도 괜찮습니다. 다음 설명이 독자들이 보호 구문을 이해하는 데 도움이 될 것 같다면, 추가하세요. '하나의 루틴에서 여러 번 반환하는 것을 금지하는 오래된 규칙이 한때 있었다, 지금은 세상이 변했다.'

켄트 벡

야생은 습관적으로 코드를 작성하는 곳일까?

한편, 1장 원문에는 야생을 뜻하는 'in the wild'라는 표현이 등장합니다. 저도 비슷한 비유를 했던 기억이 있어서 그대로 넣고 싶기도 했습니다.

안영회

wild라는 표현이 있습니다. 개발 현장을 말씀하시는 건가요?

자연스러운 습관 속에서 관찰되는 모습을 뜻합니다. 그 반대는 순수하게 이론적인 추정이고요. 책에서의 상황은 진짜인지 의심할 수 있는 코드가 실제로 쓰이는 광경을 본 일을 의미합니다.

켄트 벡

결과적으로 한국말답게 다듬어 '현장에서 습관적으로 작성한'으로 바꾸는 과정에서 그의 부가 설명이 도움을 주었습니다. 구체적으로 말하면 'in a natural habitat'이라는 그의 말이 '습관적으로 작성한'이라는 한국말을 낳은 것이죠.

변경이 변경을 쉽게 한다는 느낌과 충동

충동impulse이라는 단어는 우리말 표현이 까다롭게 느껴졌습니다. 번역을 돕던 분과도 이견이 있었습니다. 그래서 저자에게 물었던 MCETMEC라는 약어로 충동에 담겨진 느낌을 뜻으로 표현해 주었습니다.

동일한 충동('same impulse')이라는 표현이 중의적인 듯하여 확인합니다. 정말로 같은 정리법을 뜻하는지 아니면 비슷한 설계 접근을 말하는지 궁금합니다.

안영회

켄트 벡

'동일한 충동'이란 말은 MCETMEC를 의미하는데 즉, 변경하기 쉽게 만들면 쉽게 변경할 수 있다는 말이죠.[1] 많은 프로그래머가 이걸 놓칩니다. 그들은 어려운 문제를 해결하는 것만이 그들의 할 일이라고 생각합니다. 때로는 문제를 해결하기 쉽게 하는 것도 프로그래머의 임무인데 말이죠. 자신을 위해서라도 그렇게 해야 합니다. 제 글이 쉽게 이해하기에는 너무 압축되어 있다는 것을 이제야 알았습니다. 질문해 주셔서 감사합니다.

만일, 우리가 경험을 통해 '미리 변경해 놓으면 이후에 고치기 쉽구나' 하는 속말에 준하는 느낌을 갖고 있다고 가정해 보세요. 그렇다면, 비슷한 상황을 만났을 때 생각에 앞서 충동적으로 그렇게 할 가능성이 높습니다.

애초에는 번역을 위해 질문을 했지만, 저자가 겨냥하는 지점이 느껴졌습니다. 프로그래머인 독자들이 인간적으로 자기 내면을 다룰 수 있도록 이끌기 위해 이러한 표현들을 쓰는 것이 아닐까 짐작하게 되었습니다.

구멍이 많은 스위스 치즈에 비유하다

6장 '응집도를 높이는 배치'에는 스위스 치즈라는 표현이 나옵니다. 직관적으로 무엇을 겨냥하는지 몰라 켄트에게 물었습니다.

---

1 옮긴이_ 원어로는 'Make the Change Easy Then Make the Easy Change'가 되어 줄여서 MCETMEC가 됩니다.

안영회

스위스 치즈가 표현하는 뉘앙스가 무엇인가요?

스위스 치즈는 코드를 변경했는데 구멍이 많이 남은 경우입니다. 여기에 2줄, 저기에 3줄, 다른 곳에 2줄이 더 있는 경우죠.

켄트 벡

치즈를 주식으로 먹는 서구인들 관점에서 보면, 관련한 코드가 여기저기 흩어진 형태로 변경이 가해지는 모습과 구멍이 숭숭난 스위스 치즈의 모양은 쉽게 연결되는 듯합니다.

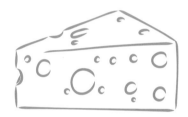

그림 2-2 스위스 치즈 예시

팀원 사이의 갈등은 다음 책을 기대하세요

6장에서 결합을 줄이면 세 가지 종류의 어려움에 봉착할 수 있다고 설명합니다. 그중 하나가 '팀원 간의 잠재적 갈등'이라고 번역한 'Relationship Stretch'입니다. 전후 맥락이나 제 경험으로 의미를 짐작할 수 있었지만, 저자가 쓴 글과는 맥락이 다를 수 있어 그에게 물었습니다.

안영회

영문 표현 Relationship Stretch를 직역하면 의미가 모호합니다. 설명을 추가해 주실 수 있나요?

너무 압축된 표현이었네요. 때때로 팀은 최근에 설계를 너무 많이 바꾼 나머지 잔뜩 화가 나 있습니다. 그들이 변경을 흡수하려면 시간이 필요합니다. 그런 후에 추가로 변경을 받을 수는 있을 것입니다. 이 경우 더 변경하기 전에 좀 더 기다리기를 원할 것입니다. 이에 대해서는 두 번째 책에서 더욱 자세히 다루겠습니다.

켄트 벡

그의 설명을 보니 이 표현을 구체적으로 풀어내는 일은 다음 책에서 나타나겠구나 싶었습니다. 하지만, 단지 인간관계 문제라고만 쓰면 독자들은 모호함이나 답답함을 느낄 수 있기 때문에 켄트 벡의 설명을 옮긴이 주석으로 추가했습니다. 다음 책이 나오면 더 명확한 설명을 들을 수 있겠죠.

병합으로 코드를 읽기 어렵게 되면, 내가 이해할 수 있는 모양을 우선한다

한편, 13장 '하나의 더미'에서는, 더미^{Pile}란 말이 암시하는 바를 물었습니다. 사실 이 대화는 번역 자체에는 직접적인 영향을 주지 않았습니다.

더미('Pile')라는 표현은 한국 프로그래머들에게는 생소한 말이 될 듯합니다. 추가 설명을 해 주실 수 있나요?

안영회

'더미'는 질서가 없음을 의미합니다. 건조기에서 옷을 꺼내 침대에 놓으면 그것이 곧 더미입니다. 당신은 아직 그것들을 정리하지 않고 있습니다.
큰 더미는 정리하기 매우 어렵죠. 이 함수는 다른 두 함수를 호출하고, 각각은 또 다른 것을 호출합니다. 이때, 중요한 점은 포기하지 말고 일단 모두 쭉 나열하는 것입니다. 그것들은 정렬되지도 않았고, 정리되지도 않았지만 적어도 한 곳에는 모여 있습니다. 설명이 충분할까요?

켄트 벡

나중에 원고를 검토하면서 자연스럽게 내용을 다시 음미할 수 있었습니다. 그때 코드 정리라는 접근이 갖는 고유한 특징이 말을 거는 듯했습니다. 동작 변경에 초점을 맞추다 보면 작업자의 다양한 사연, 취향, 습관이 하나의 파일에 섞여 들어갑니다. 서로 다른 상황에 처한 프로그래머의 생각이 하나의 코드에 병합됩니다.

코드가 유기체와 같다고 느끼는 장면이 그런 부분인데, 그 많은 사연을 코드를 읽을 시점에 누가 나에게 알려주지 않습니다. 그렇게 막막해질 수 있는 나를, 혹은 그렇게 될 동료를 그대로 내버려둘 것인가요? 때로는 간결하게만 코드를 정리하는 것이 아니라 오히려 하나의 더미가 되게 뭉쳐야 한다는 사실은 모순처럼 느껴집니다만. 결국 프로그래머는 감정과 인지적 한계를 지닌 사람이고, 코드의 줄거리를 이해할 수 있는 상태가 된 이후에야 코드를 정리할 수 있다는 당연한 사실을 새삼 분명하게 인지하게 되었습니다.

자신의 사명에 충실한 모습

그의 사명 덕분에 영어 어법에 확신이 없는 경우에도 과감하게 묻게 되었습니다. 번역을 돕던 지인에게 켄트 벡의 답변을 공유했더니 '대단히 친절하네요'라고 말했습니다. 제가 '안전함'을 느낀 배경에는 그의 친절함이 있었습니다. 그는 자신이 정한 사명에 충실하게 괴짜에게 친절했습니다.

안영회

당신의 그 놀라운 책 『익스트림 프로그래밍(2판)』(인사이트, 2006)은 저에게 매우 긍정적인 자극을 주었고, 그 후로 제 삶은 많이 바뀌었습니다. 그러한 경험이 당신의 새로운 책을 발견한 후에 번역을 위해 스스로 출판사를 찾게 했답니다.
그리고 제가 역자가 되었다는 사실을 알립니다. 출판사에서 요구한 기일이 촉박하긴 하지만 당신의 훌륭한 책을 번역하는 일에 최선을 다하겠습니다.

그 소식을 들으니 너무 기쁘네요!

당신은 저에게 가치 있는 서비스를 제공하고 있는 겁니다. 진행하며 질문을 많이 해 주세요. 문장이 명확하지 않을 때마다 물어보세요. 이것은 제가 글쓰기를 더 잘하게 되는 가장 좋은 방법이기도 합니다.

켄트 벡

이후에 17장에서도 그의 충실한 사명 실천을 확인할 수 있었습니다. 리팩터링에 익숙하신 분이라면 추출의 반대 행위로 볼 수 있는 코드 인라인^inline 행위에 대해 물은 것입니다. 17장은 앞서 다룬 다양한 코드 정리 사이에 연쇄적으로 벌어지는 일을 설명하고 있기 때문에 문구는 추상적이지만, 다루는 내용은 구체적인 프로그래밍 행위였습니다. 머리에 쉽게 그려지지 않아 오역의 위험이 있으니 그에게 물었습니다.

17장 내용 중에서 'to inline the variable'이라는 영어 문구를 보고, 코드로 잘 상상이 되지 않습니다. 어떤 상황인지 조금 더 설명해 주실 수 있나요?

안영회

구체적인 예를 들기는 어렵지만, 어쩌면 다음이 도움이 되겠군요.

켄트 벡

...긴 수식...하위 수식...추가 수식

설명하는 변수를 추출한다:

설명하는 변수:= 하위 수식 ...긴 수식...하위 수식...추가 수식

도우미를 추출하여 하위 수식을 계산한다:

function explanation() {하위 수식을 반환한다} explanation := explanation()
...긴 수식...수식...추가 수식

이제 설명하는 변수는 더 이상 필요한 게 없으므로, 인라인으로 쓸 수 있다:

...긴 수식...explanation()...추가 수식

도움이 됐을까요?

그의 답변을 보면 상당히 애를 쓰는 모습이 역력합니다. 나중에 깨달은 내용이지만 막상 번역을 할 때는 이 대화 내용이 번역 결과에 직접적인 영향을 주지 않았습니다. 제가 머릿속에서 그려지지 않는 상태에서 영어 문장만 번역하고 싶지 않았던 정서 문제라고 할 수 있습니다. 그럼에도 그의 노력은 자신의 사명을 다하는 모습이라 느껴졌습니다.

CHAPTER 03

2부 관리

부작용을 제거한 입문자용 리팩터링

책을 다 읽어 보면 전체가 일종의 리팩터링으로 보일 수도 있습니다. 물론, 그럼에도 큰 차이가 있습니다. 저자가 책을 쓰게 한 동기가 고전이라 할 수 있는 『Structured Design』(Yourdon, 1975)의 현대적 재현이었으니까요. 응집도와 결합도라는 중요한 소프트웨어 공학의 이론적 기반과 함께 경제적 선택에 대한 고찰은 리팩터링 주제에서는 쉽게 찾아볼 수 없는 내용입니다.

그럼에도 이 책의 중심에 있는 실전적인 내용은 리팩터링과 다소 겹친다 할 수 있습니다. 게이트웨이 리팩터링이란 그러한 인식을 고려하여 만들어낸 정체성을 지칭하는 표현이 아닌가 싶습니다. 코드 정리에 입문하면, 나도 모르게 리팩터링을 하는 자신을 발견할 것이라는 기대를 담은 표현이라 생각합니다.

안영회

'gateway refactoring'이 리팩터링을 하기 위한 입문을 말하나요?

켄트 벡

이것은 약물 남용에 대한 표현을 참조한 것입니다. 예를 들어, 마약을 반대하는 사람들은 마리화나가 그 자체로 위험하기 때문이 아니라 마리화나를 사용하면 헤로인, 코카인 따위를 사용하게 될 수 있기 때문에 마리화나를 반대합니다. 그래서, 마리화나를 '게이트웨이 마약'이라고 칭합니다.
저는 코드 정리를 이렇게 유추하고 싶습니다. 일단 아무도 정리하는 것에 반대할 수는 없을 겁니다. 분명히 무해하기 때문이죠. 그러나 저는 무해함을 넘어서 '더 어려운' 설계 변경으로 이어지기를 의도하고 있습니다.

마약에 대한 흥미는 없고 경각심이 커서 그런지, 굳이 이 표현을 게이트웨이 드럭 gateway drug이라는 초기 입문용 마약에 비유해야 하나 싶은 마음도 들었습니다.

설계란 구체적인 코드 작성 행위로도 설명이 가능해야 하는 것 아닐까?

17장은 앞서 다룬 코드 정리 카탈로그의 항목들이 연쇄적으로 벌어지는 상황을 다룹니다. 카탈로그에 없는 '설명하는 도우미explaining helper'라는 표현이 본문에 나타납니다. 무엇을 지칭하는지는 짐작할 수 있었지만, 카탈로그에 없는 표현이기에 확인을 위해 질문했습니다.

안영회

영문 표현 'explaining helper'에 대해 분명히 이해하고 싶어서 코드 예제를 부탁드려도 될까요?

켄트 벡

다음과 같은 코드가 있다고 가정해 봅시다.

```
// 이제 각 행을 JSON 객체로 변환합니다
...코드 여러 줄...
설명하는 도우미 함수를 한 개 추출합니다:
// 이제 각 행을 JSON 객체로 변환합니다 convertRowsToJSON()
function convertRowsToJSON()
...코드 여러 줄...
```

이렇게 정리하는 의도는 무슨 일이 일어나고 있는지, 더 잘 설명하고 싶은 겁니다. 이제 주석이 완전히 중복되는지 확인해 볼 차례입니다. 중복되었다면 삭제합니다. 그렇지 않다면 주석이 코드와 다른 점이 있는지 확인해야 합니다. 이때 설명하는 도우미로 정리하면 추가로 설명하는 것이 불필요해질 수 있습니다. 어쨌든 다른 프로그래머와 소통하는 일은 프로그래머가 해결해야 할 일입니다. 질문에 대한 답이 되었을까요?

켄트 벡은 답변에서 도우미를 추출하고 나서, 주석이 필요 없어진 상황을 예시로 보여줬습니다. 책이 이미 나오고 난 뒤라 반영할 수는 없었지만, 저에게 설명한 내용이 책에 있으면 더 좋겠다는 생각이 들었습니다.

17장은 구체적이고 다양한 코드 작성 행위에 대해 요약해서 다루는 장입니다. 그래서, 머릿속에 코드나 상황이 확실하게 그려지지 않아 질문을 하는 일이 생겼습니다. 늘 그렇듯 켄트 벡은 구체적으로 상황을 설명하며 제가 앞에 있는 듯이 답을 주었습니다.

안영회

17장에서 정리의 흐름을 말할 때, 매번 그렇게 하라는 뜻인지 가능할 때 그렇게 하라는 뜻인지 불분명해서 설명을 청합니다.

얼핏 보면 각 정리는 별개의 순간처럼 보입니다. 마치 순간순간 '아, 공백을 추가해야겠군'처럼 말이죠. 그러나, 오래 실천하게 되면 공백을 추가한 다음 이어서, 자연스럽게 도우미를 추출합니다. 이 두 가지 작업은 그 순서대로 함께 자주 진행되곤 합니다.

켄트 벡

춤에는 스텝과 조합이 있습니다. 스텝은 고정되어 있지만, 조합은 한없이 많습니다. 복싱으로 말하면 잽, 훅, 어퍼컷은 스텝이고, 조합은 한없이 다양합니다.

저는 학습자들이 고립된 순간이 아닌, 설계 흐름을 보는 안목을 갖도록 준비시키고 싶습니다. 고립된 순간부터 시작하는 것도 상관은 없지만, 더 큰 흐름 속에서 현재 위치와 순간을 돌아본다면 더 큰 보상이 따라옵니다.

맨 처음 메시지를 받는 순간에는, 번역에 대한 압박감 때문에 느끼지 못했던 내용이 있습니다. 이제 다시 그의 대답을 보면서 구체적인 프로그래밍 상황을 코드가 아닌 사람들의 언어로 읽는 일은 자주 겪은 일이 아니란 점을 깨달았습니다. 그러면서 그의 고유한 사명에 경의를 표하게 됩니다. 설계가 보다 효과적이 되기 위해서는 개발자들의 코드 작성 행위와 연결하는 표현 방식이 필요하다는 사실을 깨닫습니다. 그러려면 설계의 말들이 더 많이 만들어지고 쓰이는 일이 필요할 듯합니다.

배치라는 말에 담긴 아쉬움

필자의 과거 경험 때문에 '배치'라고 하면, 흔히 SI라고 부르기도 하는 외주 시스템 운영 환경에서 널리 쓰이는 '배치 프로그램'이 먼저 떠오릅니다. 하지만, 이 책이 그런 상황을 다루고 있을 리는 만무합니다. 묶음이라는 뜻의 batch이니 일괄 처리를 말할 텐데, 그것이 프로그래머 개인의 작업을 말하는 것인지 아니면 배포까지 이어지는 일괄 작업을 말하는 것인지 모호하여 질문을 했습니다.

안영회

한국 개발 환경에서 배치란 말은 서구 맥락의 'batch'란 단어로 표현하면 오해하기 좋습니다. 적절한 한국말 낱말을 찾기 위해 부연 설명을 해 주실 수 있을까요?

일괄 처리^{batch}는 피드백을 받기 전까지 수행하는 작업량을 의미합니다. 일반적인 용어이므로 한번에 전체 파일을 처리하는 데이터의 일괄 처리에 적용할 수 있습니다. 이 경우 '작업^{work}'은 프로그래밍입니다.
통합하기(피드백 받기) 전에 얼마나 많은 프로그래밍을 해야 할까요? 일반적인 대답은 통합하는 데 비용이 많이 들기 때문에 자주 하는 것은 피하게 되고, 프로그래밍 변경 시 일괄 작업량은 많아집니다. 익스트림 프로그래밍(XP)에서는 통합 비용이 적으므로, 일괄 처리에서 프로그래밍 변경 사항이 적습니다. 도움이 됐을까요('배치'라는 단어 때문에 혼동을 줄 수도 있겠네요)?

켄트 벡

그리고 다른 표현에 대한 질문을 통해서도 보강이 되는 상황이 만들어졌습니다.

안영회

18장에서 같은 것('the same thing')이라는 말이 혼란스럽습니다. 추가 설명을 해 주실 수 있을까요?

통합과 배포는 항상 연결되어 있음을 암시합니다. 다른 말로 하면, 지속적으로 인도하는 일입니다. 이 책 전반에 걸쳐서 저는 CI, CD, TDD, 짝 프로그래밍과 같은 좋은 개발 방법을 암시하지만, 의도적으로 명시하지는 않았습니다. 저는 사람들이 이 글을 읽고 "우리는 익스트림 프로그래밍(XP)을 사용하지 않으니까, 이것을 적용할 수는 없어"라고 말하는 것을 원하지 않습니다.

켄트 벡

답변은 기대 이상으로 풍부했지만, 번역에 담아내는 일은 당장 떠오르지 않았습니다. 이후 다른 장까지 번역을 하고 나서 보니, 작업의 크기를 정하는 일은 굉장히 중요한 일이었습니다. 그러한 내용은 batch란 표현이 등장하는 18장뿐 아니라 이어지는 장에서 충분히 다루고 있습니다.

다만, 배치란 표현과 무관하게 이 책을 읽고 있을 독자들 중에도 이 책의 가정이 되는 TDD 채용이나 PR 수렴 절차 따위가 이뤄지지 않는 곳에서 경험한 분들이 있을 수 있다는 생각을 하니 아쉬운 마음이 느껴졌습니다.

다른 장의 표현 때문에 던진 질문에서 켄트 벡은 TDD를 활용하지 않는 독자가 있을 것으로 짐작하지만 그럼에도 개선의 기회를 제시하고 싶다는 표현을 합니다.

안영회

20장에서 테스트 케이스를 언급한 표현을 보면 TDD를 배경으로 하는 듯한데, 맞나요?

이전에 한 대답과 같습니다. 많은 독자가 아직 TDD를 적용하고 있지 않다는 것은 알고 있지만, 그와 무관하게 사람들이 효과적으로 일하는 상황을 암시하고 싶습니다. 저는 그들 스스로 발전할 수 있는 기회를 갖기 바랍니다.

켄트 벡

또한, 역시 같은 장을 배경으로 던진 질문도 문화적 요인을 다루고 있었습니다. 앞서 언급한 외주 개발 환경과 자체 서비스를 만드는 기업의 문화는 매우 다릅니다. 개발자들이 더 나은 시도를 하려고 할 때, 자신이 처한 환경 때문에 어려움을 겪는 모습을 자주 보아 왔습니다.

상호작용에 뒤따르는 위험을 다루는 문장에서, 위험이 줄어드는 이유가 팀 케미가 강해져서일까요?

안영회

두 세트의 프로그래밍을 변경했을 때 간섭이 얼마나 일어날까요? 그것에 영향을 미치는 주 요인은 단순히 프로그램 크기입니다. 당신이 1줄을 바꾸고 제가 1줄을 바꾸면 충돌하지 않을 것입니다. 하지만 두 사람 모두 1천 줄을 바꾸면 충돌 확률이 훨씬 높아지죠.
프로그래밍 변경을 방해하는 또 다른 요인은 설계 품질(결합의 양이라고도 함)입니다. 잘 설계된 시스템은 충돌이 적습니다.
문화도 한 가지 요인이긴 하지만, 간접 영향일 뿐입니다.

켄트 벡

문화적인 요인은 조직 자체와 조직에 속한 사람들에 바탕을 두고 있습니다. 그래서 어떠한 방법도 그 방법 자체로는 해결책이 될 수 없습니다. 다행스러운 점은 이 책이 나 자신을 또 다른 한 명의 인간으로 다루는 법을 연습시켜 준다는 점입니다. 시간에 쫓길 수도 있는 상황에서 코드를 작성하는 나와 나중에 내가 작성한 코드를 다시 봐야 하는 나의 관계를 대상으로 먼저 연습할 수 있습니다. 다른 사람과 사회적으로 더 나은 해결책을 만들기 전에, 오늘의 나와 내일의 내가 잘 지내는 방법을 익히는 일은 매우 유용합니다. 그렇게 한발 한발 나아가는 힘이 어쩌면 대인 관계 역량을 늘려 줄 수 있고, 문화적 요인은 결과적으로 대인 관계 역량을 통해 개선할 수 있기에 이 책이 제한적이나마 도움을 준다고 믿습니다.

출시의 또 다른 이점을 보여주는 질문과 답변

'전략'이라는 말은 자주 쓰이지만, 꽤나 모호한 말이라 생각해 질문을 했습니다. 켄트 벡의 답을 보면 사용자가 쓰이는 환경에 노출된 다음에는 전략적 의사결정이 덜 중요해진다고 설명합니다.

안영회

전략('strategy')이라는 말은 쓰이는 맥락에 따라 너무나도 다른 뜻이라, 오역을 피하기 위해 부연 설명을 요구합니다.

켄트 벡

동작 변경과 구조 변경이 얽혀 있다고 가정합니다. 이들을 반영하여 사용자에게 배포해야 한다면, 어느 쪽을 택하나요?

a) 실환경에 바로 반영한다.
b) 기존 변경 사항을 여러 diff로 나누어 풀어간다.
c) 모두 버리고, 더 정리된 방식으로 모두 다시 구현한다.

10분 후에 엉킴을 잡으면 하루 후에 엉킴을 잡는 것보다 더 쉬운 결정입니다.
책에서 전략이 '덜 중요해지는' 상황을 의미합니다.

스스로 이해를 하기 위해 그의 글을 몇 차례 반복해서 읽으면서 생각을 해 보았습니다. 그러다가 일단 프로그램이 드러나면 피드백이 주어지는 부분을 제외한 나머지는 중요도가 약화된다는 사실을 깨달았습니다. 인지 심리학에서는 우리가 예측을 하려는 본능 때문에 지나친 걱정이나 안정을 도모하는 경향을 과학적으로 다루고 있습니다. 이를 고려해 보면 명백하지 않은 상태로 오래 두면, 우리의 본능은 그러한 모호한 대상에 대해 굉장한 에너지를 쏟을 수 있다는 가능성을 어렵지 않게 짐작할 수 있습니다.

결국 프로그램이 실환경에 놓이게 하는 일은 불필요한 걱정과 추측성 노력을 막는 가장 경제적인 길이란 사실을 깨달을 수 있습니다.

3부 이론

거대한 수프의 비유

번역이 끝나갈 즈음에는 거대한 수프라는 비유가 납득이 되었지만, 처음에는 꽹장히 낯설게 느껴졌습니다. 생각해 보니, 앞서 질문했던 스위스 치즈도 비슷하네요. 식습관 차이로 인해 음식 비유는 직관적으로 공감이 안 되는 듯도 했습니다.

안영회

22장에서 하나의 거대한 수프란 표현이 그림과 같은 음식을 말하는 건가요?

정확합니다. 그림을 보니 배가 고프네요.

켄트 벡

그래서 질문할 때도 구글링을 해서 이미지를 보내며 물었고, 그는 배고프다는 위트를 포함해서 답을 해 주어, 번역 작업이 즐겁게 도왔습니다.

동화책에 등장하는 토끼굴의 은유

아이가 있어 동화책을 자주 읽어 주는데, 아쉽게도 우리 집에는 〈이상한 나라의 앨리스〉는 없었습니다. 어릴 적에 읽기는 했겠지만, 너무 오래전 일이라 이 동화에 '토끼굴'이 등장한다는 사실을 까맣게 잊고 있었습니다.

안영회

23장에 토끼굴이란 표현이 있습니다. 어떤 종류의 느낌을 전달하려고 쓴 표현인가요?

루이스 캐롤의 〈이상한 나라의 앨리스〉에서 따 온 은유입니다. 앨리스는 토끼굴에 빠지면서 이상한 나라로 들어갑니다. 종종 실제로 중요하지 않은 일에 관심을 빼앗기고는 합니다. 토끼굴에 빠진다는 말은, 이와 같이 다른 곳에 관심을 두고 낭비하게 되는 것을 뜻합니다.

켄트 벡

우리말에 '삼천포로 빠진다'는 말과 유사한 듯도 한데, 요즘은 그 표현 역시 우리나라에서 많이 쓰이지 않는 듯하여 비유를 그대로 사용하였습니다.

그런데, 번역을 다시 검토하는 과정에서 '토끼굴'의 의미를 더욱 분명하게 알게 되었습니다. 고객들이 원하는 목적지는 다름 아닌 동작 변경입니다. 그리고, 동작 변경과 설계 변경은 이분법적인 관계를 갖습니다. 그래서 고객들이 원하는 동작 변경과 다른 통로를 저자는 '토끼굴'로 설명했습니다. 지향점이 다른 토끼굴은 프로그래머 자신을 편안하게 하는 공간임과 동시에 결과적으로는 설계 변경이라는 사회적 가치를 낳습니다. 하지만, 고객들에게는 여전히 설명하기 어려운 이상한 나라일 뿐이죠. 저는 그러한 깨달음을 저자의 다음과 같은 사려 깊은 답변에서 배웠습니다.[1]

안영회

코드 정리를 토끼굴에 비유하여 시간을 낭비한다는 뉘앙스를 주는 것에 대해 주저되는데, 그걸 의도한 것이 맞나요?

비슷합니다. 사업하는 사람들은 동작 변경을 원합니다. 우리 프로그래머들 역시 그렇죠. 하지만, 우리는 동작 변경에서 벗어나 모든 가능한 구조 변경을 상상하고는 합니다. 그 지점이 코드를 정리하는 토끼굴에 빠지는 순간이죠. 하지만, 너무 빠지면 덜 중요한 일에 매달릴 수 있으니 주의를 기울여야 합니다.

켄트 벡

몰랐던 TDD의 기원을 배우다

2007년경에 TDD를 3개월 동안 익힌 경험은 지금까지 선명합니다. 그때도 역시 켄트 벡의 책을 통해서 배웠는데, 당시에는 TDD의 기원을 명확히 알지 못했기에 반가운 마음으로 질문했습니다. 26장에서 소개하는 금융 분야에서 일한 경험이 그가 TDD를 개발한 배경이었다니!

안영회

26장을 읽다 보니 그때가 바로 당신이 TDD를 개발할 때라고 깨달았습니다. 맞나요?

---

1 옮긴이_ 다시 읽으면서 재차 켄트 벡에게 고맙다는 기록을 남기고 싶습니다.

그래요, 맞습니다. 지금은 정확한 날짜를 기억하지 못하지만, 예전에 추적해 본 일이 있습니다.

켄트 벡

괜히 반가운 마음이 들었고, 그의 실용적인 풍모도 다시 한번 확인하게 되었습니다.

동작 변경과 구조 변경이라는 이분법적 사고의 효용

책의 순서대로 번역하지는 않기 때문에 28장 초안 번역을 하던 때만 해도 동작 변경을 뜻하는 'behavioral change'가 머릿속에서 분명하지 않았습니다. 분명하지 않았다는 말은 프로그래머로서의 제 경험과 문구가 1:1로 연결되지 않았다는 말입니다. 그래서, 그에게 물었습니다.

28장에서 'making behavioral changes'란 영문이 명확하지 않은데, 모든 코드 변경을 말하는 것인가요?

안영회

맞아요. 하지만, 프로그램을 구성하는 코드를 보지 않아도 결과가 드러나는 변경을 말합니다. 외부의 관찰자에게 보인다는 말이죠. 이것이 동작 변경입니다.
파일의 형식을 바꾸는 일은 또 다른 프로그래머만 관찰할 수 있기 때문에 동작 변경이 아니죠. 저는 이런 경우를 구조 변경이라고 부릅니다.

켄트 벡

번역을 더 진행한 후에 메시지를 다시 보니, 그의 마지막 말이 정말 중요했습니다. 동작 변경은 구조 변경과는 다르다는 것이죠. 33장의 결론을 보면 구조나 동작 변경 SB diffs이라는 표현이 나오는데 이를 보면 이분법적 사고가 명확해집니다.

저는 동작 변경과 구조 변경은 완전히 구분하는 것에 더하여 동작 변경의 명백하게 드러나는 특징과 구조 변경이 명확하게 드러나지 않는 특성을 음양에 빗대어 머릿속에 다음과 같은 그림을 그려보면 도움이 된다고 생각합니다(그림 4-1).

그림 4-1 동작 변경과 구조 변경

이러한 제 머릿속 그림에 대해 확신을 갖게 된 질문과 답변도 있습니다. 책 제목의 함축적 의미를 푸는 과정에서 저자에게 동작 변경과 코드를 간결하게 하는 일은 상호 배타적인 일로 가정해도 좋은지 묻고 그가 확답을 해 주었습니다.

그렇다면, 동작 변경과 코드를 정리하는 일은 기본적으로 상호 배타적인 일로 보아도 되겠네요?

안영회

정확합니다. 동작에 대한 변경과 구조에 대한 변경을 구분하는 일이 이 책이 전하는 주요 메시지 중에 하나입니다. 개발자는 보통 둘을 한꺼번에 다루는 경향이 있는데, 이는 모든 종류의 문제를 야기합니다.
더불어 저는 고친다는 말 대신에 주로 변경한다고 씁니다. 왜냐하면, 고친다는 표현은 동작이 불완전하다는 뜻이기 때문이죠.

켄트 벡

덧붙여서 미묘한 어감 차이지만 고친다^{fixing}는 말 대신에 변경한다^{changing}고 쓴 이유는 코드가 항상 정상 작동하는 상황을 가정한다고 설명합니다. 자동화된 테스트 케이스나 그에 준하는 장치의 존재를 암시합니다. 반드시 TDD를 전제했다고 확신할 수는 없지만, 그는 이 책을 시작으로 설계를 개선하는 총체적 방법을 말하고 있기에 그렇게 믿게 되었습니다.

코드 검토에 대한 켄트 벡의 암시

번역 마감을 앞두고 마지막으로 던진 질문에도 켄트 벡은 성실하게 답을 해 주었습니다.

안영회

아마도 이것이 마지막 질문이 될 듯합니다. 28장에서 코드 검토 절차를 언급하는 문장에서 괄호 안의 표현이 정확하게 무엇을 지칭하는지 모호한데, 부연 설명이 가능할까요?

괄호 안의 표현은 언젠가 코드 검토에 대해 이야기할 것이라는 암시를 주기 위한 것입니다. 책에 코드 검토를 언급한다고 해서 독자들이 제가 이를 지지한다고 생각하지 않았으면 합니다.

켄트 벡

코드 검토에 대해 그가 부정적이란 사실을 눈치챌 수 있었습니다. 아마 다음 책에 그 내용이 나오지 않을까 짐작해 봅니다.

콘스탄틴의 등가성

책에서 콘스탄틴의 등가성$^{\text{Constantine's Equivalence}}$이란 표현을 보았을 때, 다소 생소해서 질문을 했습니다.

안영회

30장에서 콘스탄틴의 등가성이란 개념이 등장합니다. 여기서 콘스탄틴이란 이름은 책의 추천 서문을 쓴 바로 그 래리 콘스탄틴을 말하나요?

등가성은 래리가 생각해 낸 것입니다. 책을 쓰면서 콘스탄틴의 이름을 붙인 일은 제가 한 것이죠. 작명은 그의 의사와 무관합니다.

켄트 벡

그런데, 시차가 있어 답변을 기다리는 동안 구글의 생성형 AI 서비스인 제미나이에 질문을 했습니다. 답변 중에 일부를 소개합니다.

콘스탄틴은 1970년대 초에 콘스탄틴의 등가성을 처음으로 제시했습니다. 콘스탄틴은 객체지향 프로그래밍에서 객체의 동일성을 중요하게 생각했으며, 객체의 값과 동작을 모두 고려한 동일성 개념을 제시했습니다.

납득이 가는 설명이고, 경험적으로 자바 프로그래밍 초기에 배운 객체의 동일성 판단 로직을 떠오르게 했습니다. 생성형 AI가 항상 옳은 말을 하는 것은 아니기 때문에 이를 바탕으로 다시 켄트 벡에게 확인하는 질문을 했습니다.

안영회

구글 제미나이에 질문을 던졌더니 객체 지향 프로그래밍의 '객체의 동일성'을 답으로 내놓았습니다. 하지만, 사실은 이 책에서 당신이 처음으로 이름을 붙인 것이죠?

제가 이 책에서 지은 이름이 맞습니다. 내가 아는 한에서는 책에서 처음 썼습니다. 다르게 알려졌다는 사실이 흥미롭네요.

켄트 벡

켄트 벡에 따르면 콘스탄틴의 등가성은 이 책에서 처음 쓰인 켄트 벡이 만든 말입니다. 콘스탄틴은 아주 오래전부터 저자가 이 책을 쓰려는 열망을 제공한 『Structured Design』(Yourdon, 1975)의 공동 저자인 동시에 추천 서문을 쓴 사람이기도 하기에, 그에 대한 헌사는 충분히 이해할 수 있습니다.

더불어 그에게 질문하지 않았더라면 하마터면 제미나이에 속아 엉뚱하게 알고 잘

못된 지식을 전파할 뻔했습니다. 그 유명한 인공 지능의 환각^{hallucination} 부작용을 경험한 것이죠.

코드를 떠날 때 전보다 더 나은 상태로 남겨두라

"찾았을 때보다 더 나은 상태로 남겨두라"라는 말은 보이스카우트 창시자 로버트 베이든 파월$^{Robert Baden-Powell}$이 만든 말입니다. 이 말은 자연을 보호하고, 다른 사람들을 도우며, 세상을 더 나은 곳으로 만들라는 의미를 담고 있습니다.

안영회

> 32장에서 스카우트 규칙은 언급하고 있는데, 베타리더인 한 동료가 클린 코드의 저자도 이를 인용한 일이 있는데, 그것과 관계가 있을 수 있다고 귀띔합니다. 그런 걸까요?

> 야외 활동을 즐기는 아이들의 훈련과 관련한 보이 스카우트의 규칙, '찾았을 때보다 더 나은 상태로 남겨두라'를 인용한 것입니다. 스카우트 대원은 야영을 마치고, 떠날 때 쓰레기를 배낭에 담아 떠나야 하죠.

켄트 벡

켄트 벡은 코드를 다시 찾는 일에 이를 대입했습니다. 다음 번에 코드를 보는 사람이 있을 때, 그에게 더 나은 경험을 줄 수 있게 하라고 말합니다. 그게 나일 수도 있고 동료일 수도 있겠죠.

설마 프링글스?

책에 오래된 우리나라 과자 CM송이 생각나게 하는 문장이 있었습니다. 프링글스^{Pringles}처럼 코드 정리도 맛을 들이면 멈출 수가 없다는 문장이었죠. 아이를 키우는 우리 집에서는 흔히 볼 수 있지만, '설마 켄트 벡이?'와 같은 선입견이 있었던 듯합니다.

어쨌든 확인하는 편이 좋겠다 싶어 질문했고, 그도 좋아하는 감자칩을 있다는 사실을 확인했습니다. :)

안영회

33장에 쓰인 프링글스는 그 유명한 감자칩을 말하나요?

맞아요. 프링글스는 한 통을 모두 먹을 때까지 눈치채지 못한다는 점이 중요하죠.

켄트 벡

PART

02

옮긴이 특별 부록

켄트 벡의 글을 번역하며 알게 된 것들

익스트림 프로그래밍의 창시자이자 TDD 개발자인 켄트 벡의 『Tidy First?』를 번역했습니다. 2023년 11월에 출간된 책인데, 우연히 켄트 벡의 허락을 받아 번역을 하게 되면서 국내 출간을 하게 되었죠. 한동안 번역을 '절대 안 하겠다'고 마음먹고 있었는데 스스로의 입장에서는 느닷없이 번역을 하게 된 셈입니다.

그래서 스스로도 왜 번역을 하고 있는지 알아보기로 했습니다. 특히 기억이 아니라 기록에 근거하여Data Driven 내가 왜 이것을 하는지 조사하기로 마음을 먹었습니다. 근거가 될 기록을 찾기 위해 과거 사진을 찾아보기도 했습니다.

일단, 결론부터 얘기하겠습니다. 서로 다른 두 가지 욕망에서 시작됐습니다.

- 2009년의 기억을 떠올려 이 책을 정독하고 싶다
- 이제 다시 켄트 벡의 말들을 만나 성장 속도를 높이고 싶다

그리고 번역을 하면서 뜻밖의 새로운 배움이 있었기에 번역을 하게 된 과정과 그 과정에서의 배움을 공유하고자 합니다.

2009년의 기억을 떠올려 정독을 하고 싶다

우선 2009년에 무슨 일이 있었는가?

그림 5-1 2009년 스프링 개발자 행사에서 핵심 개발자인 유겐 휠러와 KSUG 동료들과 찍은 사진 (출처: 옮긴이)

2009년, 주경야독하듯이 직업 일상을 보내던 저는 '부캐'인 KSUG(한국 스프링 사용자 모임) 공동 설립자로서 미국에서 열린 SpringOne에 참석했습니다. 그런데 실수를 하나 저질렀습니다. 위키북스에 번역할 책을 추천해 주면서 스스로 공동 역자로 저를 포함시킨 것입니다. '고작 한 챕터인데, 그걸 못하겠어' 하고 쉽게 생각했습니다.

하지만 당시 저는 IT컨설팅 회사에서 컨설팅과 개발을 함께 하고 있었는데, 상사의 지시를 받지 않고 자신만의 방향성을 살리기 위해 직접 영업까지 시도하여 하루를 쪼개 쓰는 중이었습니다. 그런 제가 주말에는 KSUG 활동을 하고 콘퍼런스 참여로 미국 방문까지 해야 하는 시점에 번역까지 하는 건 정말 무리였습니다. 그렇게 될 줄 모르고 한 일이지만, 뱉은 말을 나 몰라라 하고 싶지는 않았습니다.

그래서, 돌아오는 비행기에서 모자란 잠을 참으며 최종 검토를 하면서 '다시는 번역을 하지 않겠다'고 굳게 결심했습니다.

그런데 왜 갑자기 번역을 하는가?

그동안 켄트 벡의 글을 줄곧 읽어왔습니다. 'Tidy First?'를 소재로 글을 5개[1]나 쓰기도 했죠. 처음에는 정확한 뜻을 이해할 수 없었지만, 자주 읽다 보니 이제 몇 줄만 보아도 그 뜻을 알아차릴 수 있게 되었습니다. 오히려 정독이 어려울 뿐이었죠.

그러던 중에 켄트 백과 링크드인 메시지를 주고받는 일[2]이 생겼습니다. 이를 계기로, 켄트 벡의 개인적인 미션을 알게 되었습니다. "괴짜들이 세상에서 안전하다고 느끼도록 돕는다Helping geeks feel safe in the world"는 미션이었죠.

그림 5-2 켄트 벡의 개인 사명이 포함된 이미지 (출처: kentbeck.com)

그 후에 이 책을 정독하기로 마음먹었습니다. 그런데 작은 회사를 경영하는 와중이었고, 개발에 손을 뗀 지가 한참이라, 코드가 나오는 글은 정독하기가 정말 쉽지

----

1 옮긴이_ 'Tidy First' site: *brunch.co.kr/@graypool*
2 옮긴이_ *https://yozm.wishket.com/magazine/detail/2068/*

않았습니다. 사람은 오늘 행복하거나 가까운 미래에 결과를 맛볼 수 있는 꿈을 꾸기 마련입니다. 그래서 스스로 '절대로 정독을 못할 것'이라고 생각했습니다.

하지만 저는 제 삶에 대해 얘기하는 것이니, 평론가처럼 가능성을 따지는 일을 할 생각은 없습니다. 제 문제는 그저 '어떻게 하면 정독을 할 수 있느냐?'인 것이죠. 그랬더니 비행기에서 마치 감옥에 갇힌 사람처럼 번역을 했던 2009년의 경험이 생생하게 떠올랐습니다.

그리고 스스로에게 물었습니다.

그럼에도 정독을 하고 싶어? 그렇다면, 답은 나왔네. 번역을 해라!

이렇게 해서 '다시는 번역하지 않겠다'던 제가 갑자기 번역을 시작하게 됐습니다.

번역을 하면서

번역을 시작하면서 의도했던 대로 정독을 할 수 있었습니다. 그러면서 'Tidy First?'의 의미를 더 명확히 알게 됐죠. 일례로 제가 'Tidy First?'로 쓴 다섯 가지 글 중 2023년 초에 쓴 '흥미로운 Tidy First 고찰'[3]을 보면 '창발적 설계'가 손글씨로 정의되어 있습니다. 이 글을 쓸 때는 느낌만 있을 뿐 그림의 정확한 의미를 알지 못했습니다. 『Tidy First?』의 초벌 번역을 마친 지금은 켄트 벡이 25년을 준비한 설계에 대한 노하우를 집필하기 시작한 것이란 사실을 깨닫고, 번역하길 잘했다는 생각을 합니다.

---

3 옮긴이_ https://brunch.co.kr/@graypool/783

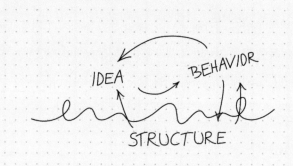

그림 5-3 저자가 온라인에서 썼던 'Tidy First?' 관련 글에서 눈에 띈 그림 (출처: 옮긴이)

또 한 가지 흥미로운 시도도 해봤습니다. 보통 여러 가지를 나열한 뒤 '그 밖에도 같은 종류의 것이 더 있음'을 나타낼 때 '등'이라는 말을 쉽게 사용하고는 하는데요. 최근에 『한국말 말차림법』(묻따풀학당, 2023) 독서 모임을 하는 동료들 다수가 '등' 대신에 '따위'를 지지했습니다. 책에 따르면 '따위'는 우리말이고, '등'은 식민시대부터 일본 글을 따라 쓰면서 생겼다고 합니다. 그래서 이 책에도 '등' 대신에 '따위'를 넣기로 마음먹었습니다.

---

5. "... 等"

　사람이나 사물의 이름을 여럿 들어놓고 (때로는 하나만 들어놓고), 그 밖에도 더 있다는 뜻을 나타낼 때 우리말로는 '들'과 '**따위**'를 쓰는데, - 中略 - 일본사람들은 이런 경우에 'など'라고 말하면서 글로 쓸 때에는 한자로 '等'을 쓰는데 식민지시대부터 일본글을 따라 쓰게 되어 그만 우리 글자로 쓸 때도 우리말이 아닌 '등'으로 모두가 쓰는 것이다.

■ 고추장 <u>등</u> 밑반찬 서로 나눠 먹고 ☞ 고추장 <u>같은 밑반찬을</u> 서로 나눠 먹고

■ 빌려준 돈을 받기 위해 폭력배 <u>등을</u> 고용해 채무자를 납치, 감금 폭행하는 <u>등의</u> 사례가 빈발하고 있다. ☞ 빌려준 돈을 받기 위해 폭력배<u>들을</u> 고용해 채무자를 납치, 감금 폭행하는 <u>따위의</u> 사례가 빈발하고 있다.

■ 제주도는 지난 10일부터 연인원 4만여 명을 동원, 꽃길 조성공사 <u>등을</u> 끝냈으며, 거리 정비 <u>등을</u> 거의 마쳤다. ☞ 제주도는 지난 10일부터 연인원 4만여 명을 동원, 꽃길 조성공사 <u>들을</u> 끝냈으며, 거리 정비 <u>들을</u> 거의 마쳤다.

그림 5-4 이오덕 선생님의 우리말 바로 쓰기 내용 일부 (출처: 옮긴이)

다시 켄트 벡의 말들을 만나 성장 속도를 높이고 싶다

번역으로 이끈 두 번째 욕망을 생각해 봅니다. 초안 번역을 마치기 전까지는 충동이나 직관에 따라 정독을 하는 것이라고 생각했을 뿐, 무의식이 지향하는 진짜 목표는 알지 못했습니다. 그런데 책의 후반부에 금융 공학 지식을 동원해서 코드 정리의 중요성을 설명하는 부분을 번역하다가 드디어 깨달았습니다.

저의 무의식은 말했습니다.

'네가 말했잖아. 소프트웨어 설계의 정의는 변해야 한다[4]고. 근데, 아직 답을 못 찾았잖아? 그렇다면 최소한 너를 TDD 그리고 XP로 이끈 켄트 벡의 이야기는 들어야 하는 것 아냐? 지금 너의 처지를 떠나 스무 해가 넘게 설계를 마음에서 빼내지 않는[5] 너 자신을 속일 거야? 아니면 마냥 미루고 살 거야?'

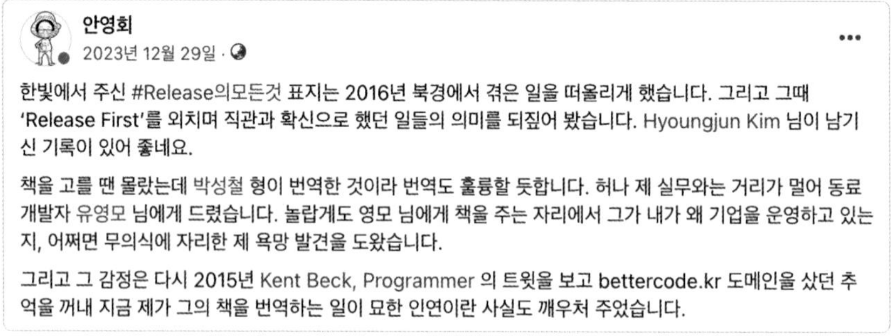

> **안영회**
> 2023년 12월 29일 · ●
>
> 한빛에서 주신 #Release의모든것 표지는 2016년 북경에서 겪은 일을 떠올리게 했습니다. 그리고 그때 'Release First'를 외치며 직관과 확신으로 했던 일들의 의미를 되짚어 봤습니다. Hyoungjun Kim 님이 남기신 기록이 있어 좋네요.
>
> 책을 고를 땐 몰랐는데 박성철 형이 번역한 것이라 번역도 훌륭할 듯합니다. 허나 제 실무와는 거리가 멀어 동료 개발자 유영모 님에게 드렸습니다. 놀랍게도 영모 님에게 책을 주는 자리에서 그가 내가 왜 기업을 운영하고 있는지, 어쩌면 무의식에 자리한 제 욕망 발견을 도왔습니다.
>
> 그리고 그 감정은 다시 2015년 Kent Beck, Programmer 의 트윗을 보고 bettercode.kr 도메인을 샀던 추억을 꺼내 지금 제가 그의 책을 번역하는 일이 묘한 인연이란 사실도 깨우쳐 주었습니다.

그림 5-5 옮긴이가 페이스북에 소회를 쓴 글 (출처: 옮긴이)

그 후에는 모든 것이 아주 선명해졌습니다. 그래서 페이스북에 짧은 글[6]을 남겼습니다. 당시의 느낌을 되살려 보니, 무의식 속에 숨어 있었으나 지금 분명히 알 수 있는 지향점은 두 가지입니다.

4　옮긴이_ *https://yozm.wishket.com/magazine/detail/2307/*

5　옮긴이_ *https://yozm.wishket.com/magazine/detail/1884/*

6　옮긴이_ *https://www.facebook.com/ahnyounghoe/posts/pfbid02fxBSaQ7LT8Vq7g7xCFZK3LWGdZvT5Vc8Vo pPrnRizCrEvgZRvkC1gNgZ6em7DcXkl*

첫 번째는 소프트웨어 설계를 경제적 관점에서 푸는 일입니다. 솔직히 저는 불과 몇 년 전만 해도 '금융 문맹[7]'으로 불려도 손색이 없을 정도로 경제나 금융 문제에 대해서는 등한히 살아왔습니다. 최근 나름대로 노력하며 경제적 감각을 익히고 있긴 한데, 무엇보다 회사에서 벌어지는 매출, 비용과 개발 결과물의 효용성의 함수 관계를 풀고 싶었습니다. 당장의 매출과 연관이 없고, 책을 보고 얻는 아이디어 외에는 혼자서 궁리하는 일이라 진척이 매우 더딘 상태였죠.

그러던 차에, 책의 후반부에서 현금흐름과 옵션의 관점에서 소프트웨어의 현재 가치를 평가하는 관점을 소개하는 부분을 읽을 때, 약간 과장을 섞으면 **저에게 운명과도 같았습니다**. 제가 혼자 고민을 해도 찾지 못하던 '빠진 부분'이 바로 그 지점이었으니까요.

만일 이렇게 번역을 하지 않았더라면 제가 금융 개념을 다 이해할 때까지 파고들 가능성은 앞으로도 없었을 것입니다. 배우는 데에서도 실용과 흥미를 중요하게 생각하는 저는 필요하다고 판단해도 좋아하지 않는 주제는 끝까지 파고들지 못했습니다. 그런데, 번역을 해야 하는 상황은 전혀 다릅니다. 스트레스를 느끼는 자신을 대면하게 되지만, 동시에 책임감으로 평소 넘지 못하던 산을 넘어가는 자신도 동시에 발견합니다.

아직 갈 길이 한참 남은 저의 목표지만, 아무튼 켄트 벡이 책에 담은 금융 지식과 소프트웨어를 연결한 내용을 숙지하는 것은 2016년 이후부터 풀어 보기 시작했던 SaaS 사업[8]의 재무적인 생존 방법을 풀어내는 데 분명 어떤 기여를 할 것이라 확신합니다.

---

7 옮긴이_ *https://brunch.co.kr/@graypool/99*

8 옮긴이_ *https://www.popit.kr/%ed%81%b4%eb%9d%bc%ec%9a%b0%eb%93%9c-%eb%b9%84%ec%a6%88%eb%8b%88%ec%8a%a4-1-%ec%82%ac%ec%97%85%ec%9e%90-%ea%b4%80%ec%a0%90%ec%97%90%ec%84%9c-%eb%b3%b8-saas/*

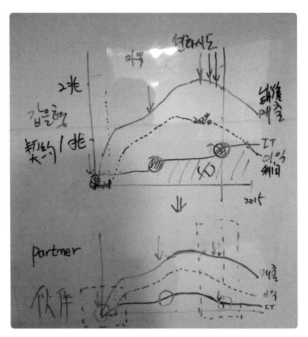

그림 5-6 2016년 당시 클라우드 사업의 특징에 대해서 논의할 때, 지금은 동료가 된 클라이언트가 그린 그림(출처: 옮긴이)

두 번째는 사실 꽤 오랫동안 켄트 벡의 정신을 좇아왔으며, 바로 그것이 저를 앞으로 해야 할 일로 이끌어왔다는 사실입니다. 2015년 IT컨설팅 회사에서 팀원들 다수가 제가 믿는 소프트웨어에 대한 가치에 공감하지 않는다는 느낌을 받고 굉장히 실망한 일이 있었습니다. 돌아보면 미숙한 의사소통의 결과였죠. 아무튼 그렇게 실망했던 어느 날 켄트 벡의 한 트윗을 보았습니다. 그가 삭제한 것인지 아니면 제 기억의 왜곡인지 지금은 찾을 수가 없는데요.

기억에는 대략 '오늘 무슨 일이 있었어도 스스로의 힘으로 자신의 코드를 더 나은 코드(better code)로 만들 수 있다'에 해당하는 영문이었습니다. 그의 글을 보자마자 핑계 속으로 숨지 않는 정신과 XP[9]를 통해 익숙하게 익힌 실천법이 느껴졌습니다.

9 『익스트림 프로그래밍(2판)』(인사이트, 2006)

'그래. 나는 나의 길을 걷자!' 이런 마음을 새겨 두려고 퇴근 후에 *bettercode.kr* 도메인을 샀습니다. 이제 와 돌아보면, 그 도메인을 산 순간부터 제가 알 수 없는 어떤 인연이 만들어졌고, 저는 그저 '계속할 것이냐, 아니냐'의 선택의 기로를 거치며 지금까지 살고 있었다는 생각이 들었습니다. 말하자면 운명론자처럼 된 것인데요. 제가 도메인을 샀다는 사실을 까마득하게 잊고 있던 중, 그로부터 1년 후에 중국에 갈 일이 생기고, 회사가 필요해졌습니다. 그때 저에게 중국 관련 사업을 제안했던 후배에게 전화로 상의를 하다가 '회사 이름이 무엇이 좋겠냐?'라는 그의 전화기 너머 음성을 들을 때, 도메인 이름을 퍼뜩 기억해 낸 것이 그다음 연결고리가 되었습니다.

그리고 이 운명론자의 길의 끝에는 무엇이 있는지 아직 말하기 어렵지만, 언젠가는 또 의외의 인연으로 조금씩 알게 될 듯합니다.

마치며: 상상도 못하던 것을 또 배운다

서두에 말한 주제에 대한 부연은 다 했습니다. 애초에 정독이 목표였는데, 번역 과정에서 정확하게 인식하지 못하고 있던 자신의 성장 욕구가 어디를 향하고 있는지 깨닫는 계기가 되기도 했습니다.

여기에 더하여 함께하는 즐거움도 있었습니다. 이에 대해서는 세 가지 정도를 말씀드리고 싶은데요. 첫 번째는 베타리더들의 헌신성과 자율성이 맛보게 해준 감동입니다. 단기간에 번역을 해야 했기에, 제가 장별로 번역한 내용을 구글 문서에 올리면 베타리더가 장별로 피드백하는 방식을 취했습니다. 그러다 보니 제 번역 진도를 우선하느라 베타리더의 피드백을 몰아서 확인하게 되었습니다. 그랬더니 제가 잠시 손을 대지 못한 문서 내용도 베타리더분들이 손수 가꾸고 계시더군요. 그에 대한 고마움과 함께, 순수하게 함께하는 즐거움도 느꼈습니다.

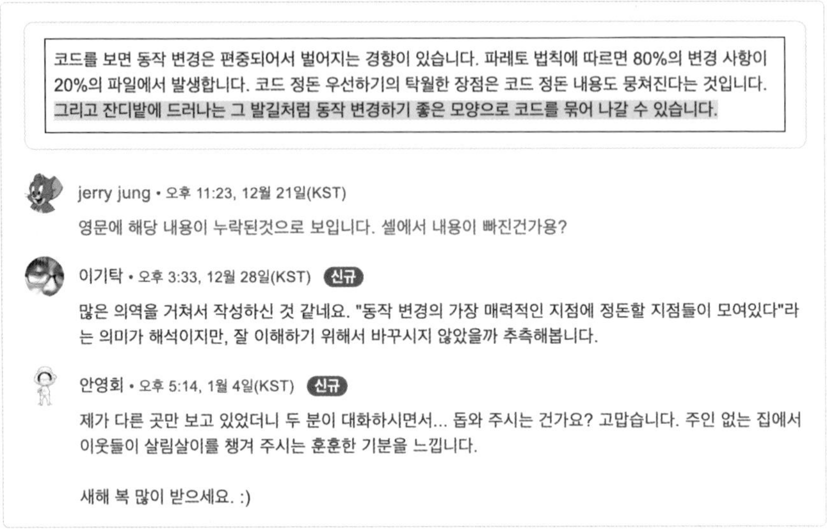

코드를 보면 동작 변경은 편중되어서 벌어지는 경향이 있습니다. 파레토 법칙에 따르면 80%의 변경 사항이 20%의 파일에서 발생합니다. 코드 정돈 우선하기의 탁월한 장점은 코드 정돈 내용도 뭉쳐진다는 것입니다. 그리고 잔디밭에 드러나는 그 발길처럼 동작 변경하기 좋은 모양으로 코드를 묶어 나갈 수 있습니다.

 jerry jung · 오후 11:23, 12월 21일(KST)

영문에 해당 내용이 누락된것으로 보입니다. 셀에서 내용이 빠진건가용?

 이기탁 · 오후 3:33, 12월 28일(KST) **신규**

많은 의역을 거쳐서 작성하신 것 같네요. "동작 변경의 가장 매력적인 지점에 정돈할 지점들이 모여있다"라는 의미가 해석이지만, 잘 이해하기 위해서 바꾸시지 않았을까 추측해봅니다.

 안영회 · 오후 5:14, 1월 4일(KST) **신규**

제가 다른 곳만 보고 있었더니 두 분이 대화하시면서... 돕와 주시는 건가요? 고맙습니다. 주인 없는 집에서 이웃들이 살림살이를 챙겨 주시는 훈훈한 기분을 느낍니다.

새해 복 많이 받으세요. :)

그림 5-7 구글 문서에서 번역 중인 글에 베타리더들이 올린 대화 (출처: 옮긴이)

두 번째로, 2008년에 한 프로젝트에서 만나, 나이를 초월한 교류를 이어가고 있는 임춘봉 님을 통해 지치지 않는 활력을 다시금 배웠습니다. 그는 저희 어머니와 정확히 동갑이지만 소프트웨어나 지식 노동에 대한 가치관이 저와 비슷해서 지금까지 특별한 이해관계 없이 교류하는 분입니다.

『Tidy First?』를 한창 번역하는 중에 이 책의 출간 배경에 '에드워드 요던'이라는 전설적인 소프트웨어 공학자가 있다는 내용[10]을 읽고 임춘봉 님을 떠올리지 않을 수 없었습니다. 저자인 켄트 벡이 요던을 대하는 태도와 임춘봉 님이 평소 요던의 책을 언급할 때 태도가 너무나 닮아 있었기 때문입니다. 저는 바로 전화를 해서 뵙자 하고, 마침 출판사에 받은 원서 한 권을 들고 나가서, '그 사연'을 알려 드리고 책도 드렸습니다. 이 일이 계기가 되어 임춘봉 님은 정말 폭발적인 속도로 번역을 돕고 계십니다.

....

10 옮긴이_ 'How I Came To Write 'Tidy First?''라는 글에서 켄트 벡은 책을 쓰게 된 배경을 설명하는데, 에드워드 요던, 래리 콘스탄틴이 쓴 『Structured Design』에서 영감을 받았음을 밝히고 있다.

늘 열심히 사는 분이었지만, 젊은 날의 열정을 기폭제로, 또다시 활력을 얻어 열정을 불사르는 모습을 보는 일은 저에게 새로운 배움이 되었습니다.

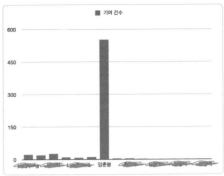

그림 5-8 임춘봉 님에게 원서를 전하며 찍은 기념사진(출처: 옮긴이)

마지막으로, 저자인 켄트 벡의 태도에서도 배우고 있습니다. 제가 링크드인 메시지를 통해 번역을 하게 되었다는 사실을 알렸을 때, 그는 축하의 말을 전한 후 '문장이 모호하면 어느 때고 자신에게 질문을 하라'고 메시지를 주었습니다. 그것이 '모국어로 영어를 배우지 않은 사람들이 이해할 수 있는 문장을 쓸 수 있도록 자신을 훈련할 수 있는 길'이라는 이유였습니다.

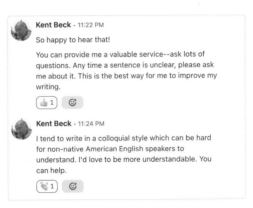

그림 5-9 켄트 벡에게 번역 소식을 알리고 받은 답변 (출처: 옮긴이)

굉장히 인상적인 메시지였습니다만, 더욱 인상적인 것은 그가 지금까지 저의 거의 모든 질문에 대해 최선을 다해 답을 해 주고 있다는 점입니다. 특히나 최근에 주고받은 내용 중에 인상 깊었던 답변은, 저의 질문에 도리어 고맙다는 표현을 하면서, 자신의 글쓰기가 지나치게 함축적이라는 인식을 덧붙였던 것이었습니다. 이는 직면을 통해 스스로 성장하기로 마음먹은 저에게 그대로 본보기가 되어 줍니다.

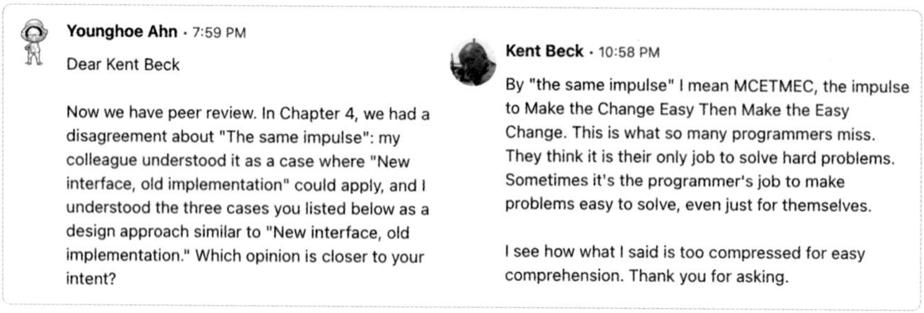

Younghoe Ahn · 7:59 PM

Dear Kent Beck

Now we have peer review. In Chapter 4, we had a disagreement about "The same impulse": my colleague understood it as a case where "New interface, old implementation" could apply, and I understood the three cases you listed below as a design approach similar to "New interface, old implementation." Which opinion is closer to your intent?

Kent Beck · 10:58 PM

By "the same impulse" I mean MCETMEC, the impulse to Make the Change Easy Then Make the Easy Change. This is what so many programmers miss. They think it is their only job to solve hard problems. Sometimes it's the programmer's job to make problems easy to solve, even just for themselves.

I see how what I said is too compressed for easy comprehension. Thank you for asking.

그림 5-10 켄트 벡이 자신의 글쓰기를 성찰하는 글이 담긴 메시지 (출처: 옮긴이)

개발자가 테스트를 보는
세 가지 관점

개발자가 작성하는 자동화된 테스트는 오랫동안 갑론을박이 있던 화제입니다. 그러나 현실적인 타협점을 찾는다면 그 효용성은 분명합니다. 평소에 테스트를 바라보는 몇 가지 관점이 부딪힌다는 생각을 갖고 있었지만 아직 글로 쓴 일은 없었는데, 이전에 제가 쓴 '코드 리뷰에 '켄트 벡'의 아이디어 접목하기'[1]와 비슷하게 켄트 벡이 쓴 'Abstract vs. Concrete Parameters'[2]란 제목의 글이 고맙게도 또다시 영감을 주어 쓰는 글입니다.

TDD를 바라보는 두 가지 견해

먼저, 자동화된 테스트를 다룰 때 TDD$^{\text{Test Driven Development}}$를 빼놓을 수는 없습니다. TDD는 다름 아닌 켄트 벡이 정의한 방법입니다. 그는 자신의 저서 『테스트 주도 개발』(인사이트, 2014)을 통해 TDD 개념과 실천 방법을 소개했습니다. 더불어 TDD를 위한 실행 도구인 JUnit이라는 프로그램도 내놓아 개발자들에게 상당한 기여를 한 분입니다.

---

1 옮긴이_ *https://yozm.wishket.com/magazine/detail/2007/*
2 옮긴이_ *https://tidyfirst.substack.com/p/abstract-vs-concrete-parameters*

또한, TDD는 논쟁의 화두로 사랑받았던 주제이기도 합니다. 이를 찾아보려고 오래간만에 구글링을 해 보니 마틴 파울러의 블로그[3]에서 오래전에 봤던 기사 'Is TDD Dead?'[4]가 남아 있었습니다. 예전에 커뮤니티 활동할 때 뵈었던 분이 한글화[5]도 해 두셨네요.

Is TDD Dead?

A series of conversations between Kent Beck, David Heinemeier Hansson, and myself on the topic of Test-Driven Development (TDD) and its impact upon software design.

Where This Came From

A provocative talk and blog posts has led to a conversation where we aim to understand each others' views and experiences

more...

그림 6-1 TDD의 효용성 논쟁이 담긴 글 〈출처: 마틴 파울러 블로그, 옮긴이 캡처〉

그 유명한 논쟁에 대해 말하려는 것은 아니고, TDD는 이렇듯 꽤 오랫동안 견해 충돌을 빚어온 방법이라는 점을 전제하려는 목적입니다. 어떤 의견 충돌일까요?

많은 사람이 TDD에 대해, 이것이 사용자 역할을 수작업으로 대신하는 것이 아니라 프로그램이 사용자 역할을 대신하는 것을 지칭하는 '자동화된 테스트'를 의미한다고 생각하곤 합니다. 하지만, 그런 식으로 활용하는 것은 엄밀히 말하면 **TDD를 따르기보다는 XUnit을 쓰는** 일이라고 할 수 있습니다. 그럼에도 실제로 다수가 그런 식으로 표현합니다. 이게 옳다, 그르다를 말하는 건 아닙니다. 관찰해 본 결과 그렇다는 것이죠.

---

3 옮긴이_ *http://martinfowler.com*

4 옮긴이_ *https://martinfowler.com/articles/is-tdd-dead/*

5 옮긴이_ *https://jinson.tistory.com/271*

저는 이런 방식이 TDD의 **정확한 의미**는 아니라고 봅니다. TDD에 포함된 '주도 Driven'한다는 것의 의미는 자동으로 테스트한다는 것을 뜻하는 것이 아니기 때문입니다. 제가 익히고 활용하는 TDD는 지금 짜야 할 코드가 정확하게 무엇인지를 규정하는 일에 가깝습니다. 그런 관점으로 보면 TDD는 테스트 작성을 통해 '짜야 할 프로그램'이라는 문제 영역을 정확하고 체계적으로 구성해 나가는 개발 방식이라고 할 수 있습니다. 여기서 테스트는 전통적인 역할을 넘어서서 점진적인 설계를 하는 수단으로 쓰여 개발의 중심이 되기 때문에, '테스트 주도'라고 표현할 수 있는 것입니다.

서버만 테스트 코드를 짜면 되지, 왜 프론트도 테스트 코드를 짜야 하나?

그런데 최근 한 가지 이야기를 듣고 개발자의 테스트에 대해 관점이 나누어진다는 사실을 다시 한번 확인했습니다. 최근에 동료가 함께 일하는 다른 회사의 개발자에게 프론트 테스트 코드 작성을 권하고, 해 보지 않았다면 자신이 방법을 알려주겠다고 했는데 이를 강하게 거부했다는 말을 들었습니다. 과거의 개발자들의 행동 패턴으로 짐작해 보건대, 그가 거부한 것에는 두 가지 이유가 있을 것이라고 생각합니다.

하나는 그가 새로운 것을 배우기 힘들어하는 유형의 개발자일 경우, 배우는 고통에 비해 얻을 수 있는 효과가 적다고 판단했을 가능성이 있습니다. 사실 해 보기 전에는 얻을 수 있는 효과를 추정할 수가 없습니다. 그래서, 일단 한 번은 해 보고 판단해야 하는데, 귀찮거나 막연한 두려움을 느끼는 분들이 의외로 많습니다.

두 번째 이유는 코드를 가꿔나가는 일과 협업에 대한 경험이 부족한 탓입니다. 제가 '코드 리뷰가 개발 문화에 미치는 영향[6]'이라는 글을 쓴 배경에는, 협업이 중요

---

6 옮긴이_ https://yozm.wishket.com/magazine/detail/1957/

하고 실질적으로 코드 검토를 통해 빈번한 협업이 가능하다는 믿음이 있습니다. 그런데 코드 검토나 협업이 서툰 분들은 남의 코드를 읽는 어려움, 자신의 코드가 남에게 보일 때 느끼는 긴장감 따위를 잘 견디지 못합니다. 더구나 코드 검토는 바로바로 결과를 만드는 일과 달리 짜릿함이 없습니다.

테스트 이야기를 하다가 왜 갑자기 코드 검토냐고요? 코드 검토와 테스트 코드 작성은 다른 일이지만, 두 가지 모두 협업 여부와 밀접하게 관련되어 있습니다. 테스트 코드를 작성하면서 점차 하려는 바가 명확해지고, 또 어떤 부분을 중점적으로 판단했는지 기록으로 남길 수 있습니다. 이는 효과적인 협업을 위한 탄탄한 토대가 되기 때문에 중요합니다. 즉 테스트를 협업의 관점에서도 생각해 볼 수 있는 것이죠.

개발자가 테스트를 바라보는 세 가지 관점

정리해 보자면, 개발자가 테스트를 바라보는 관점은 세 가지가 있습니다. 앞서 TDD의 의미에 관한 두 가지 관점에 더해, 협업에 관한 관점까지 고려해 볼 수 있습니다.

1. 자동화를 통한 효과적인 테스트에 초점을 맞추는 관점
2. 테스트를 넘어서 효과적인 개발 방법으로 확장한 관점 (일명 TDD)
3. 팀 입장에서 장기적 생산성과 변화에 대한 유연성 확보까지 고려한 관점

첫 번째 관점은 '자동화 테스트'를 주제로 한다고 할 수 있습니다. 요즘IT에도 '효과적인 JUnit 사용 방법과 유용한 팁[7]'이란 글이 있는데, 같은 주제로 볼 수 있습니다. 프로그래밍 언어나 테스트 대상 프로그램에 따라 확장된 개발 도구를 XUnit 이라고 하는데, 자신의 작업 환경에 맞는 방법을 익히면 반복적인 수작업을 줄일

---

7 옮긴이_ https://yozm.wishket.com/magazine/detail/1748/

수 있어 생산성이 향상됩니다. 상대적으로 익히는 데 큰 어려움이 없고 투자한 만큼 효과를 바로 얻을 수 있죠.

다만, 자동화 테스트를 하다 보면 프로그램을 테스트하기 어렵게 작성한 점을 발견할 수 있습니다. 그 문제를 해결하는 일은 쉽지 않을 수 있습니다. 여기서 테스트에 대한 고민을 멈출 수도 있고, 더 나아지기 위한 고민을 할 수도 있습니다. 그때가 바로 테스트에 대한 첫 번째 관점을 벗어나 새로운 인식이 생기는 시점이고, 이러한 인식이 생기면 제가 두 번째 관점으로 제시한 내용에 공감할 가능성이 높습니다.

테스트를 매개로 문제를 정교하게 정의하기

두 번째는 TDD의 정의 그대로를 익히면서 배우는 측면에 대한 것입니다. TDD를 처음 배울 때, JUnit을 익히는 일은 비교적 간단한 문제였습니다. 그런데 바로 다음 장애물은 생각보다 커다란 문제였습니다. 테스트할 코드 말고 현재 상태를 재현하는 일이 바로 그것이었는데요. 가장 먼저 반복적으로 겪는 문제가 바로 데이터베이스 상태를 재현하는 일입니다.

2007년이라 오래전 일이지만 개발자 커뮤니티를 만들기 위해 해당 주제를 첫 번째 발표로 기획하고, 제가 발표했던 경험도 있었습니다. 발표 제목은 '다중 레이어 환경에서 Spring을 활용한 통합 테스트 및 단위 테스트 방안'이었는데, 당시에는 흔히 찾아볼 수 없는 희귀한 내용이었습니다.

그림 6-2 사진 왼쪽은 발표자였던 제 모습이고, 오른쪽은 당시 발표를 기획한 토비 님입니다. 〈출처: 옮긴이〉

당시에는 이런 실용적인 테스트 방안의 해법을 찾는 일이 어렵다고 느낄 뿐 원인을 제대로 설명조차 하지 못했습니다. 지금 돌이켜보면 단지 프로그래밍 기술의 문제가 아니었다고 생각합니다. 정규 교육 과정에서는 문제를 해결하는 데에만 초점을 맞추었기 때문에, 문제를 명확히 정의하고, 훈련하고 연습하는 부분은 부족했습니다. 그래서 문제 정의도 못하는데, 여기에 더해서 '프로그래밍 언어 수준'에서 정교하게 문제 정의를 익히는 게 필요한 TDD를 실행하는 건 굉장한 고행의 시간이 아닐 수 없었습니다. 조금 과장해서 말하면 개발자로 다시 태어나는 기분이 들었습니다.

다행스러운 사실은 몇 달간의 고행 끝에 감을 좀 잡은 뒤부터 TDD는 저에게 **프로그래밍 영역**을 벗어나서 응용할 수 있는 '시간을 극도로 효율적으로 쓰는 일'을 알려주었습니다. 그리고 그런 저에게 TDD는, 충동적으로 하고 싶은 대로 프로그램을 짜거나 호기심에 이끌려 코드를 남발하던 습관을 이겨내고, 지금 당장 꼭 필요한 코드가 무엇인지부터 생각하고 정의하게 만드는 스펙 정의에 가까웠습니다.

결국 프로그래밍을 하기 전에 '정확하게 무엇을 짤 것인지' 생각하고 정교하게 기록하는 훈련은 문제 정의를 연습하는 탁월한 방법이 되었습니다.

장기적 생산성과 변화에 대한 유연성 확보를 위한 투자

TDD를 개인 차원에서 익힌 사람이라면 팀 차원에서의 효과를 생각해 볼 수 있습니다. 사실 세 번째 관점은 켄트 벡의 새로운 글을 읽으며 인식한 관점입니다. 켄트 벡은 자신의 글에서 테스트를 '통제력^{controllability}을 유지하는 설계를 위한 도구'로 설명합니다. 앞서 언급한 TDD를 경제성의 관점에서 해석한 것이죠. 이러한 관점을 통해 테스트를 소프트웨어 설계가 지향해야 하는 장기적 생산성 그리고 변화에 대한 유연성을 확보하기 위해 투자하는 활동으로 바라볼 수 있습니다.

그는 테스트를 통해 소프트웨어 통제력을 높이는 과정에서 코드를 구성하는 매개변수가 경우에 따라 추상적일 때 유리할 수도 있고, 구체적일 때 유리할 수도 있는 모순을 설명합니다. 개발자들이 테스트를 먼저 작성하다 보면 이런 결정들을 (테스트를 작성하지 않을 때에 비해) 명료하게 인식할 수 있습니다. 그리고, 기록(테스트 케이스 형태)으로 남다 보니 이후에 다시 개선할 여지도 생기고, 다른 사람과 협업하는 데에도 확실히 유용합니다.

켄트 벡의 글은 코드 예제를 바탕으로 추상성과 구체성에 따르는 비용과 경직성^{rigidity}의 관계를 묘사함으로써, 테스트를 활용하여 설계의 목표를 달성하는 일은 결국 직업 일상에서 적절한 균형점을 잘 유지하는 일임을 보여 주는 듯합니다.

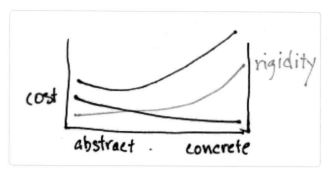

그림 6-3 코드의 추상성과 구체성에 따르는 비용과 경직성 〈출처: 켄트 백 서브스택, 옮긴이 캡처〉

저는 여기에 더하여 '정원 관리[8]'라는 개념을 추가하여 꾸준히 해나가는 **일상성**과의 결합을 강조하고 싶습니다. 일단, 정원 관리와 프로그래밍의 연결은 생소할 수 있는데요. 이는 자신이 짠 코드를 다듬고 계속해서 잘 쓰이게 하는 일에 대한 은유입니다. 정원 관리가 정원이 있는 집에 사는 대가로 치러야 하는 일상의 노력이듯이 코드를 장기적으로 사용하려면 매번 기능을 추가하는 일과 별개의 노력을 들여야 합니다. 개발자들은 이를 흔히 리팩터링refactoring이라고 부릅니다. 변수 이름을 성의껏 짓는 일처럼 작은 단위부터, 여러 곳에 흩어진 코드에 영향을 주는 구조적인 변경까지를 일컫는 말입니다.

정원 관리에서도 때가 중요하듯, 리팩터링도 때가 중요합니다. 변경해야 할 프로그램이 어디인지 단번에 떠오르지 않는 수준이 되면, 리팩터링은 점차 기피하는 일이 되기 십상입니다. 그러한 이유로 테스트가 일상과 결합되지 않는다면, 장기적 생산성에 기여하기 어렵습니다.

---

8 옮긴이_ https://www.google.com/search?q=%EC%A0%95%EC%9B%90%EA%B4%80%EB%A6%AC+site%3Abrunch.co
   .kr%2F40graypool&oq=%EC%A0%95%EC%9B%90&aqs=chrome.1.69i57j69i59j69i61l2.3734j0j4&sourceid=
   chrome&ie=UTF-8

그림 6-4 정원 관리의 중요성 〈출처: 옮긴이〉

한편, 기능을 추가하는 일 위주로 개발을 해 온 분들에게는 **정원 관리**가 지루하고 가치가 낮은 일처럼 여겨지기도 합니다. 앞서 이야기한, 프론트 코드 테스트를 거부한 개발자에 관한 일화가 떠오릅니다. 종종 개발자들은 늘어나는 코드양이나 눈에 보이는 기능의 완성만으로 자신의 할 일을 다했다고 느끼곤 합니다. 하지만 과연 그럴까요?

지금은 코드를 많이 짜고 기능을 빨리 추가한다고 사업이 잘되는 시기는 지나갔습니다. 실제로 제 주변에는 짜고 싶지 않은 덜 중요한 영역의 코드는 챗GPT를 이용해서 80%를 짠 후에 나머지 20%만 자신이 작성하는 것이 협업이 어려운 개발자를 고용하는 일보다 낫다고 말하는 스타트업 CTO가 있습니다. 세상은 바뀌었고, 앞으로도 계속 바뀔 예정입니다. 그것만은 분명하죠.

TDD 적용이 어렵다면

한편, 세 번째 관점은 TDD를 꼭 염두에 두지 않고도 자동화 테스트를 개인 차원이 아니라 팀 차원 활용하여 장기적 생산성과 유연성을 확보할 수도 있습니다. 모든 개인에게 TDD로 설계하는 훈련을 시킬 수는 없습니다. 보통 설계는 모든 개발자가 즐겁게 하는 활동은 아니기 때문에 현실에서는 적절한 타협점을 찾아야 합니다. 스포츠 경기에서 자주 회자되는 '팀보다 위대한 개인은 없다'는 말은 개발 팀에도 적용할 수 있다고 생각합니다.

누적되는 코드에 대해 미래에 발생할 변경을 쉽게 하기 위해 쌓아두는 테스트를 회귀 테스트라고 부르는데, 그 효과는 굉장합니다. 예전에 채수원 님이 쓴『테스트 주도 개발』(한빛미디어, 2010)이란 책에 제 인터뷰가 실린 일이 있는데, 다음 내용이 테스트를 바라보는 첫 번째 관점을 대변하는 글입니다.

Q. 현재 테스트 주도 개발(이하 TDD)을 업무에 적용하고 계신가요?

네. 앞서 말씀드린 바대로입니다. 다만, 제가 TDD 전문가는 아닌 터라 장애물을 만나죠. 학습 목적이 아닌 경우에는 개발과 동시에 테스트를 할 수는 없기 때문에 선택적으로 TDD를 적용합니다. SI 프로젝트를 참여하다 보면 처음 만나는 개발팀과 협력을 합니다. 이렇듯 실력을 알 수 없는 개발자 수십 명이 함께 하는 경우는 테스트 환경을 통일하고 테스트를 쉽게 해주는 유틸리티를 만들어 교육을 하고 주로 데이터 입출력 부분에 대해서만 자동화 테스트를 작성하도록 유도합니다. 불특정 다수를 대상으로 무리하게 TDD를 적용하려고 욕심을 부리다가 프로젝트가 자칫 학원(?)처럼 바뀔 우려가 있고 저항감도 있으니 현장에서 터득한 적정 수위죠.

인터뷰를 할 당시 직업 일상에서는 함께 일하는 개발자가 자동화 테스트를 만들도록 가이드하고, 가끔은 강제하는 일도 했습니다. TDD를 하라고 권하지는 않았습니다(KSUG라는 커뮤니티 활동에서는 권장하고 발표도 했습니다). 고통을 참아가며 테스트를 먼저 짤 필요는 없지만, 자신이 짠 코드를 검증하기 위한 프로그램은 만들어야 한다고 판단했습니다.

두 가지 분명한 이점이 있습니다. 하나는 한참 시간이 흐른 후에 발생하는 수많은 장애를 줄이기 위해, 프로그램 작성자가 직접 테스트 코드를 짜는 일은 생산적인 활동이라는 점입니다. 그보다 더 큰 효과를 주는 이유는 따로 있었습니다. 테스트 코드의 묶음을 뜻하는 테스트 스위트^{Test Suite}를 구축하면, 향후 내가 짠 코드를 다른 이유로 변경했을 때 발생할 수 있는 부작용을 암산이 아니라 테스트 코드 실행을 통해 눈으로 바로 확인할 수 있다는 점입니다. 이 두 가지 이점을 통해 개발자 자신과 개발팀의 스트레스가 대폭 줄고 변경을 쉽게 받아들일 수 있어 놀라울 정도로 생산성과 삶의 질이 올라갑니다.

세 가지 관점으로 테스트를 둘러싼 대화를 시도하기

테스트에 관해 대화를 하다 보면, 상대가 나와는 다른 관점에서 테스트를 언급한다는 걸 알게 되는 경우가 있습니다. 이럴 때 상대가 어떤 목적으로 테스트를 진행하고 있는지 알수록 대화가 잘됩니다. 이 글을 통해 설명한 것처럼 테스트에 관해 다양한 관점이 존재한다는 사실을 안다면, 테스트에 관한 대화를 할 때나 테스트에 관한 팀의 목표를 세울 때도 도움이 될 것입니다.

07

소프트웨어 설계
20년 해 보고 깨달은
'좋은 설계'의 조건

2022년, 제가 소프트웨어 설계에 관심이 많다는 사실을 알고 있는 두 명의 지인이 번갈아 찾아와 '어떻게 소프트웨어 설계를 하느냐'고 노하우를 물었습니다. 그때는 명확한 답을 하기가 어려웠습니다. 한때 설계 방법에 대해 치열하게 고민한 일이 있지만, 지금은 현장에서 상황마다 다르게, 필요한 만큼 활용하고 있어서 하나의 노하우나 형식을 정해두고 있지 않았기 때문입니다.

그런데 지인들의 질문을 계기로 제가 익숙하게 해 오던 일에 대해 다시 돌아볼 수 있었습니다. 20년 이상 소프트웨어 관련한 일을 하는 동안 소프트웨어를 만드는 프로그래밍 기술은 상당히 발전했습니다. 하지만 소프트웨어 설계 쪽에서는 눈에 띄는 발전을 찾아내기가 어렵다는 생각이 듭니다. 왜 그런지 아직은 잘 모르겠습니다. 다만 설계를 활용하는 사람의 관점이 바뀌어야 한다는 것만은 확신합니다. 결론부터 말하면, '어떻게 설계하느냐' 하는 방법론은 개인의 선호에 달린 문제일 뿐입니다. 그래서 어떤 설계 방법론이 옳은지를 따지기보다, 현장에서 설계 내용을 실현하기 위해 서로 소통하는 데 가장 효과적인 방법을 찾아야 합니다.

이 글은 제가 20년여년 동안 소프트웨어 설계를 공부하고, 적용해 보면서 갖게 된 믿음에 관한 글입니다. 한때 설계에 빠져 공부했고, 잘못된 믿음도 가져봤습니다. 하지만 언어와 실력이 다른 분들과 일하며 설계를 했던 경험을 비롯해 다양한 학습이 저를 설계에 관한 다른 관점으로 이끌었습니다. 이제 저는 모든 상황에서 모든 문제를 해결해 주는 모범답안 같은 완벽한 해법은 없으며, 설계는 정교한 의사소통을 돕는 도구로 활용될 때만 의미가 있다고 믿습니다. 또한 설계라는 행위에는 함께 일하는 팀과 고객을 설득하는 과정 전반이 포함되기 때문에, 결국 올바르고 완벽한 설계 문서란 게 존재할 수 없다고 믿습니다. 이 글에선 이런 이야기를 하고자 합니다.

이 글을 읽고 최소한 여러분은 설계에 대해 기대하지 말아야 할 것들에 대한 제 견해를 알 수 있을 것입니다. 조금 욕심을 부리자면, 적어도 한 사람 정도는 제 글을 읽고 행동에 변화가 생기는 분이 나타날 수도 있다는 기대를 갖고 글을 씁니다.

설계가 할 수 없는 것

설계는 코딩을 대신해 줄 수 없다

90년대 후반에 UML^{Unified Modeling Language}이라는 일종의 설계 기법과 관련 기술이 우리나라에도 보급되었습니다. 직업 개발자의 길을 막 나섰던 저는 밤샘으로 점철된 일상을 바꿀 수 있는 마법이 될 수 있을까 기대했습니다. 그래서, 학부 졸업을 하기도 전에 지도교수님과 함께 대학원 프로그램을 만드는 일까지 기획하고 소프트웨어 공학에 푹 빠져서 공부를 했고, 그 후 운 좋게 실무에서 활용해 왔습니다.

하지만, 그 제약은 분명했습니다. 2007년 그 한계에 대해서는 월간마소라는 전문지에 '다시 꺼낸 양날의 검 UML 2부 − UML의 전략적 활용'[1]이라는 제목으로 기고한 바 있습니다. UML을 익히고 활용하는 것만으로도 굉장한 무언가가 나올 거라 기대했던 자신을 돌아보며, UML 자체가 아니라 이를 활용하는 사람이 중요하

---

1 옮긴이_ *https://dataonair.or.kr/db-tech-reference/d-lounge/expert-column/?mod=document&uid=53362*

다는 생각을 담은 글이었습니다. 실무에서 다년간 겪은 시행착오에 대한 기록이기도 했습니다.

이후에도 저의 문제의식은 그대로였습니다. 2018년 개발자 행사에서 '소프트웨어를 모르는 대한민국 기업의 위기'[2]라는 제목으로 기조연설을 하면서, 스프링 프레임워크를 만든 로드 존슨[Rod Johnson]의 글을 인용하여 UML 그리고 파생기술인 MDA가 코드 작성을 대신해 줄 수 있다는 2000년 초의 잘못된 믿음을 지적했습니다.

 Rod Johnson Follow
Cofounder and CEO, Atomist. Creator of Spring, Cofounder/CEO at SpringSource (acq by VMW)
Jun 5 · 4 min read

Developers, Developers, Developers: Microsoft/GitHub and The Ascendancy of Code

Back in the early 2000s, in the **dark days** of J2EE, there were two major schools of thought as to how to fix the platform's **productivity** problems: The "**draw pretty pictures**" camp, which aimed to generate nasty code from a non-code representation (for example, **MDA**)

그림 7-1 로드 존슨의 글 〈출처: 마이크로소프트가 깃허브를 인수한 당시 로드 존슨이 미디엄에 쓴 글〉

지금은 당연한 이야기가 되었지만, UML이 널리 보급되던 시절에는 다이어그램 형태로 설계만 잘하면 코드가 만들어진다는 주장과 이를 실현하려는 야심 찬 (주로 미국의) 제품들이 시장에 퍼져 있었습니다. 하지만 이런 주장과 반대되는 놀라운 소식이 2017년 6월에 등장합니다. 마이크로소프트가, 코드를 개발자가 스스로 보관하는 서비스 '깃허브'를 한화 8조 원에 인수한 것입니다. 이 사건은 업계 전문가들이 보기에 코딩과 코딩을 둘러싼 협업의 가치가 입증된 사건으로 평가되었습니다.

---

2 옮긴이_ https://www.youtube.com/watch?v=fiY2VwKTvos

소통 없이는 완벽한 설계 문서란 없다

'Big Design Up Front'[3]라는 말이 있습니다. 개발을 해 보지 않고 과다하게 설계하는 일을 부르는 영어 표현인데, 외주 개발을 하는 분야에서는 오랜 관행이었습니다. 또 하나의 관행은 외주 개발을 주도하는 수행사에서 잔뼈가 굵은 분들이 프로젝트 중간에 대금 지급을 하기 위한 근거로 설계 문서를 사용하는 방식입니다. 이 또한 아직까지 널리 쓰이는 관행입니다. 대금 지급과 수금이라는 사업 관리 절차가 앞서 말한 'Big Design Up Front'를 강제하게 만듭니다. 저는 '폭포수 방식 설계는 기술 부채를 남긴다'[4]는 제목의 글에서 관행을 유지하는 대가로 치러지는 사회적 낭비에 대해 설명하기도 했습니다.

특히 외주 개발 계약을 이행하는 과정에서 설계를 먼저 한 뒤 개발하는 경우가 흔하게 있는데, 이 경우에는 대부분 이후에 실제로 개발할 때 설계를 다시 해야 합니다. 계약을 위한 소통과 개발을 위한 소통은 내용이 같을 수가 없습니다. '설계'를 대금 지급의 기준으로 삼는 일 자체가 유효하지 않지만, 흔히 통용되는 관행이니 적어도 그 부작용에 대해서는 충분한 숙지가 필요합니다.

자, 지금까지 이 글을 따라오셨다면 적어도 여러분은 설계에 대해서 기대하지 말아야 할 두 가지를 알게 되셨습니다. 다시 요약해 보죠. 먼저 설계는 코딩을 대신해 주지 않습니다. 두 번째로 기술적 가정을 검증하지 않고, 당장 개발을 위한 소통에 쓰이지 않는 문서나 그림 형태로 설계하는 일은 지양해야 합니다. 그림을 그리지 말라는 말이 아닙니다. **설계 결과물은 소통의 일부로, 함께 대화하는 맥락(다른 말로 도메인이라고 함) 안에서만 힘을 갖는다는 말입니다.**

앞에서 언급한 바대로 현장에서 함께 일하는 사람들의 소통 과정에서 설계도 만들어집니다. 함께 일하는 이들이 사용하는 도구와 전문 지식의 배경에 따라 표기법

---

3 옮긴이_ https://en.wikipedia.org/wiki/Big_Design_Up_Front
4 옮긴이_ https://brunch.co.kr/@graypool/676

과 같은 설계 방법을 결정하는 일이 효과적일 이유가 여기에 있습니다.

그럼, 이번에는 설계가 무엇을 해줄 수 있는지 여러분께 사례를 통해 말씀드리겠습니다.

언어와 실력이 다른 이들과 함께 설계하기

2017년 저는 중국의 소프트웨어 개발회사에서 일하던 시절, 꼭 필요한 소통으로 이어진 설계를 경험한 적이 있습니다.

당시 조선족 개발자 1명과 중국인 개발자 2명이 함께 코드를 개발하는 중에 풀리지 않는 문제가 있다면서 그들이 저를 찾아왔습니다. UML 표기법을 배우고 활용하고 싶어 하던 조선족 개발자가 UML 순차도를 그려서 먼저 저에게 문제를 설명하려고 했습니다.

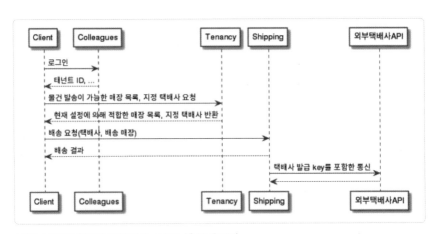

그림 7-2 조선족 동료가 그린 UML 순차도 〈출처: 옮긴이〉

그림을 보며 문제에 대해 이야기를 나누는데, 전혀 맥이 짚이지 않았습니다. 그래서 저는 그림을 그린 개발자에게 두 사람의 코드를 보고 그린 것인지 확인했습니다. 그리고 그에게 '추측해서 그리면 안 된다'는 말을 덧붙였습니다. 제 말을 듣고 그가 실제로 확인해 보니, 동료들은 코드를 설계와 다르게 작성했습니다. 그는 동료들에게 자신이 짠 모듈(그림에서 Colleagues) 사용법을 설명했으니, 자신이 기대한 대로 코드를 짰을 것으로 짐작하고 그린 것이었습니다.

우리는 함께 모여 그림과 실제 코드를 대조해서 보면서 서로 이해가 같아질 때까지 회의를 했습니다. 제가 중국어 소통을 할 수 없던 탓에 통역하는 시간이 더해져 회의 시간은 길어졌지만, 꼭 필요한 소통이었습니다. 회의실 한쪽의 프로젝터에서는 우리가 나누는 이야기의 바탕이 되는 코드가 보이고 있었습니다. 나중에 회고를 통해 조선족 동료는 이 경험에서 '소통의 중요성에 대해 다시 한번 느꼈다'고 고백했습니다.

한편, 저는 당시 중국인 동료 한 명의 눈에서 의구심이 지워지지 않는다는 사실에 집중했습니다. 그래서 그에게 최선을 다해서 제가 의도한 바를 설명하려고 노력했습니다. 화이트보드에 그림을 그리고 또 그림이 의미하는 바를 코드와 연결하며 중국인 동료의 눈빛이 바뀌길 바라는 마음으로 설명을 계속했습니다.

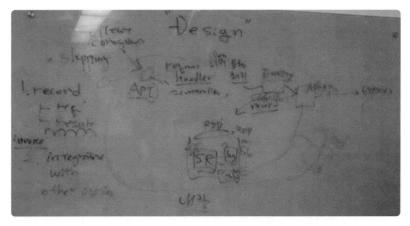

그림 7-3 배송 모듈의 설계에 대해 논의하며 옮긴이가 그린 그림 〈출처: 옮긴이〉

노력 끝에, 마침내 동료의 입에서 '하울러(好嘞)'라는 말이 나오고 표정이 밝아졌습니다. 그리고 그가 중국어로 다음과 같이 말했습니다.

"마이크로서비스Microservice를 구현할 때는 막연히 작게 잘라야 한다고 생각해서, 스스로 shipping-demo를 나누면서도 왜 이렇게 해야 하는지 의문이 들었는데, 이제야 이해했다"

당시 저는 마이크로서비스 아키텍처로 서비스를 구성하던 시기였는데, 그런 방식이 낯설었던 그는 왜 프로그램을 그렇게 짜야 하는지 의구심이 들어 그것을 풀고자 했던 것입니다. 이때의 생생한 고민과 경험담은 '설계란 무엇인가?'[5]라는 글에 담았습니다.

설득 또한 설계의 일부다

중국인 동료의 눈빛에서 의구심이 사라질 때, 저는 '됐다'고 생각했고 비로소 마음이 놓였습니다. 그런데 무엇이 되었다고 판단했던 것일까요? 첫 논의 이후에 그 중국인 개발자가 반복해서 저를 찾아와 코드를 봐달라고 요청했습니다. 그는 지속적으로 제 의도에 맞춰 프로그램을 개선하고 있다는 사실을 알리고 싶었는지 아니면 확인받고 싶었는지 알 수 없지만 한 가지는 분명했습니다. 그는 저와 팀워크를 맞추고 싶었던 것입니다. 사교적이지 않다고 알려진 중국인 개발자가 낯선 외국인 동료에게 그렇게 적극적으로 자신의 결과를 어필하는 장면이 꽤나 인상적이었습니다.

한때 저도 빠르게 정답을 내놓고 다른 사람들이 저를 따라주기를 바랐던 적도 있었습니다. 하지만 당시에는 수십 명의 개발자가 함께 일하는 환경에서 마이크로서비스 아키텍처를 적용해야 했습니다. 그렇기 때문에 설계라는 행위 안에는 프로그

---

5 옮긴이_ https://www.popit.kr/%ec%84%a4%ea%b3%84%eb%9e%80-%eb%ac%b4%ec%97%87%ec%9d%b8ea%b0%80/

램을 변경해야 하는 동료들이 납득하게 하는 일이 포함되어야 했습니다. 저는 조급한 마음을 다스리는 중이었죠.

한편 그 친구들은 제 뜻을 따라주고 싶어도 제가 외국인 임원이라 말 걸기가 쉽지 않았을뿐더러 일해 온 배경과 경험이 달라 사용하는 어휘에 대한 이해도 달랐습니다. 하지만 그 친구가 그렇게 다가와 준 덕분에 저의 관점에서가 아니라 그 직원들의 눈높이에서 소통할 수 있었던 것 같습니다.

설계란 것이 **스포츠 팀에서 조직력을 만들어내는 일**과 비슷하다는 사실을 중국의 동료들이 일깨워준 것입니다. 그리고 그 경험은 아마도 저에게 결과를 어필해 오던 그 개발자가 설계에 대해 경직된 사고를 벗어날 수 있게 한 촉매제가 되지 않았을까 생각하게 됩니다.

그리고, UML 순차도를 그려 저에게 문제를 설명한 개발자는 설계에 대해서 다른 깨달음을 얻었을 듯합니다. 아마 그는 **동료의 입장에서 문제를 바라볼 필요성**을 깨닫지 않았을까 추측합니다. 저는 개발팀 안에서 서로의 코드를 함께 살펴보는 일은 매우 중요하다 생각합니다. 여기서 제가 말하는 코드 검토는 옳고 그름을 따지기 위함이 아니라 서로의 입장을 코드를 통해 정교하게 소통하는 일에 대한 것입니다.

이때의 경험 덕분인지 2017년에 쓴 글 '설계란 무엇인가 II'[6]에서 인용했던 문구와, 그에 관련된 벤다이어그램 하나가 아직도 기억에 남습니다.

engineering (as an activity) does not have "correct" solutions to problems

이 문장의 저자는 자신의 글에서 다음과 같은 그림을 담은 글을 인용합니다.

---

6 옮긴이_ *https://www.popit.kr/%EC%84%A4%EA%B3%84%EB%9E%80-%EB%AC%B4%EC%97%87%EC%9D%B8%EA%B0%80-ii/*

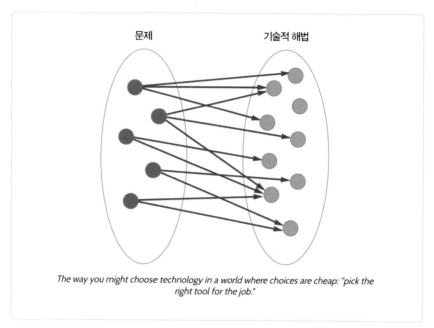

The way you might choose technology in a world where choices are cheap: "pick the right tool for the job."

그림 7-4 벤 다이어그램 '문제를 바라보는 다양한 시각이 기술적 해법에 영향을 미친다' 〈출처: 링크[7]〉

그림처럼 문제를 바라보는 다양한 시각이 기술적 해법에 영향을 미칩니다. 각자 자신이 처한 입장과 경험에 따라 다른 판단을 할 수 있습니다. 게다가 사전에 예측할 수 없는 일이 많습니다. 사후에 벌어지는 일로 그 일이 적절한 조치였는지 혹은 그렇지 않은지에 관한 근거를 찾을 수는 있지만, 결정은 항상 먼저 내려야 합니다.

그렇다면, 우리는 설계를 바라볼 때 '내가 생각하기에 올바른 해법'이 결과물이 아니란 점을 꼭 알아야 합니다. 동료들, 사용자, 돈을 지불하는 고객이나 스폰서 따위와 같이 소프트웨어가 만드는 변화에 영향을 받는 사람들의 입장에서 옳은 방향을 추구해야 합니다. 그런데 상황은 시시각각 변화합니다. 마찬가지로 사람들의 입장 역시 바뀔 수 있습니다. 섣불리 옳고 그름을 따지기 전에 우리는 서로 다른 입장을 이해하고 팀으로 의사결정 하는 방법을 익혀야 합니다.

....

7 옮긴이_ https://mcfunley.com/choose-boring-technology

지금까지의 이야기를 아래의 두 가지 요점으로 정리할 수 있습니다. 이 내용이 더 궁금하신 분은 제가 2017년에 작성한 '설계란 무엇인가 III'[8]를 읽어보시길 바랍니다.

- **설계**는 코딩하기 직전에 무엇을 어떻게 짜야 할지 떠오르지 않을 때, **어떻게 해야 할지 떠오를 정도까지만** 한다.
- 리팩터링을 통해 지속 설계Continuous Design를 한다.

자, 이제 여러분이 설계를 떠올리실 때, 그것이 '정답'을 만드는 일이 아니란 점을 분명히 기억하시길 기대합니다. 그리고, 설계는 일종의 의사소통 방식으로, 팀으로서 나아가야 할 방향에 대한 정교한 소통을 돕기 위한 일이란 사실에 익숙해지지 않았을까 기대합니다.

---

8 옮긴이_ https://www.popit.kr/%ec%84%a4%ea%b3%84%eb%9e%80-%eb%ac%b4%ec%97%87%ec%9d%b8%ea%b0%80-iii/

느슨한 결합(loosely coupled) 원칙을 활용한 소프트웨어 설계

이전 부록에 실은, '소프트웨어 설계 20년 해보고 깨달은 '좋은 설계'의 조건'[1]의 독자 중 한 분이 저에게 기술적인 노하우를 더 공유할 수 있는지 물었습니다.

조금 주저되었습니다. 개발자 입장에서 설계를 다룰 때, 당연히 프로그램을 잘 만드는 것에 집중하기 마련입니다. 이는 당연한 요구죠. 그러나 '모든 상황에서 통하는 기술적인 노하우가 과연 있을까?'라는 생각을 지울 수 없었습니다. 개발자들의 세계에는 하나의 방법으로 모든 것을 해결하려는 어리석음을 묘사한 '은탄환[silver bullet]'이라는 비유가 있는데, 제가 어떤 노하우를 공유하면 그것이 자칫 은탄환으로 쓰이게 될지도 모른다는 걱정도 드는 것이죠. 물론 이는 저만의 기우일 수 있습니다.

제가 가장 좋아하는 소프트웨어 설계 책 중에 에릭 에반스[Eric Evans]의 『도메인 주도 설계』(위키북스, 2011)라는 책이 있습니다. 예전에 모 출판사 편집장이 '어떤 책이 번역되면 좋겠느냐' 묻기에, 이 책을 꼭 해야 한다고 권유했던 일도 있었을 정도입니다. 이 책을 가장 좋아하게 된 이유는 이 책에 담긴, 함께 일하는 이들이 고민하는 영역[Domain]에 기반해 설계를 풀어가는 사상과 태도 때문입니다. 특히, 이해관계자들이 모두 하나의 언어를 쓰는 비전을 표현한 '유비쿼터스 랭귀지[Ubiquitous

---

1 옮긴이_ https://yozm.wishket.com/magazine/detail/1884/

Language'는 심미감마저 느껴졌습니다. 기술이 아니라 공동체의 문제에 초점을 맞춘 다는 점에서 이 책의 관점이 설계를 제대로 묘사했다고 평가합니다.

저는 도메인 주도Domain-Driven라는 말을 '우리 상황에 맞춰서'라는 의미로 이해합니다. 우리가 다루는 비즈니스의 가치와 양상, 우리가 쓰는 기술, 우리의 여력, 개발 속도, 소통 방식을 포함해 이들을 모두 함축한 말이라 여기기 때문입니다.

이러한 가치관을 갖고 있는 제 입장에서 선뜻 자신있게 기술적인 노하우를 꺼내는 일은 어색한 일이 아닐 수 없었습니다. 그래서 스스로에게 질문을 던져 보았습니다. '그럼에도 하나만 언급해야 한다면 어떤 게 있을까?'라고요.

느슨한 결합: 가장 중요하게 생각하는 하나의 원칙

개인적인 노하우로 질문을 좁히고, '하나만'이라고 다시 좁혀보니 도리어 쉽게 답 할 수 있었습니다. 바로 '느슨한 결합loosely-coupled'이었습니다. 3년 정도 써 오던 브 런치에서 'loosely-coupled'를 키워드로 검색[2]해 보니 제가 쓴 이 주제에 대한 글이 23개가 있었습니다. 그만큼 제가 이 원칙을 빈번하게 활용하고 있다는 의미 입니다. 그리고 글을 따라가 보면 실제로 다양한 방면으로 적용하고 있다는 사실 도 확인할 수 있었습니다.

이번 글에서는 제가 좋아하는 '느슨한 결합'이라는 개념에 대해 설명하고 어떻게 활용할 수 있는지 예를 드는 것을 목표로 하겠습니다.

먼저, 개념을 설명하기 위해 영문 위키피디아를 찾아보았습니다. 'Loose coupling[3]'이라는 페이지가 있었고 다음과 같이 설명하고 있었습니다.

---

2 옮긴이_ https://www.google.com/search?q=Loosely-coupled+site:brunch.co.kr/@graypool&oq=loo&aq s=chrome.2.69i61j69i57j69i59j69i61.7008j0j4&sourceid=chrome&ie=UTF-8

3 옮긴이_ https://en.wikipedia.org/wiki/Loose_coupling

In computing and systems design, a **loosely coupled** system is one

1. in which components are weakly associated (have breakable relationships) with each other, and thus changes in one component least affect existence or performance of another component.

2. in which each of its components has, or makes use of, little or no knowledge of the definitions of other separate components. Subareas include the coupling of classes, interfaces, data, and services. Loose coupling is the opposite of tight coupling.

첫 번째 정의는 '시스템의 구성요소^{component}가 서로 약하게 연관돼 관계를 떼어낼 수 있고, 그 때문에 한 구성요소에 변화가 생겼을 때 다른 구성요소의 성능이나 존재에 최소한의 영향을 끼치는 상태'라고 요약할 수 있을 듯합니다. 두 번째 정의는 조금 다른데요. '구성요소가 다른 구성요소의 정의에 대해 많은 지식이 없이도 사용할 수 있는 상황'을 칭한다고 말합니다. 전자가 구성요소 간의 결합의 양상을 말했다면, 후자는 그에 따른 효과와 결합의 범주에 대해 말합니다. 클래스, 인터페이스, 데이터, 서비스 따위가 구성요소가 될 수 있다는 뜻이죠.

이제 이 느슨한 결합을 어떻게 활용할 수 있는지는 크게 다음 세 가지 기준으로 나눠 설명하겠습니다.

1. 프로그래머들에게 익숙한 클래스 단위, 다시 말해서 내가 짠 프로그램 수준에서 활용하기.
2. 네트워크와 하드웨어의 발달로 나눠서 짤 수 있는 상황에 어울리는 분산 프로그래밍 형태에서 활용하기.
3. 복잡한 일을 조직화할 때 일사불란함을 만들기 위한 도구인 '단위' 그리고 자유로운 여지를 두기 위한 장치인 '경계'를 구축하는 데 활용하기.

1. 나의 프로그래밍에서의 느슨한 결합

클래스 사이의 결합과 결합의 시점 문제

UML에서 클래스 사이의 관계를 묘사하기 위한 용도로 쓰이는 클래스도[class diagram]에 관계를 표현하는 방법 중에서 의존 관계[dependency]라는 것이 있습니다. 약한 결합 정도를 나타내기 위해 실선 대신 점선을 쓰죠.

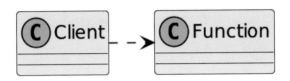

그림 8-1 약한(느슨한) 결합의 예시

그런데 '약하다'는 것이 실제로 어떻게 구동하는 것일까요? 설계할 시점에서는 구성요소를 결합시키지 않거나 최소한의 결합 상태만 만들어 두었다가, 실행할 시점에 결합을 완성하는 식으로 느슨한 결합을 구현하는 경우가 있습니다.

자바 프로그래머 대다수가 사용하는 스프링 프레임워크의 구동은 아예 이를 기반으로 합니다. 이것을 의존성 주입[Dependency Injection]이라고 부릅니다. 스프링을 사용하면 의존 관계를 선언할 때는 타입 수준에서 프로그램 정합성을 확인합니다. 컴파일할 때는 호출하는 클래스 사이에서 타입과 호출하는 함수(메서드)의 존재 여부 정도를 컴파일러가 확인한다고 간단히 요약할 수 있습니다.

반면에 실제 구동 시점에는 정의한 의존 관계에 따라 실제 클래스가 구동할 때, 구체적인 결합이 만들어집니다. 이렇게 하면 코드의 연관성을 타입 확인만 하는 설계 시점과 메모리에 올라가는 구동 시점이라는 두 시점에 나누어서 구성하는 유연성을 갖게 됩니다. 이에 대한 구체적인 이야기는 과거에 썼던 'DI 적용도 생각하는 힘과 함께 하자'[4]라는 글로 대체합니다.

여기서 강조하고 싶은 내용은 이렇습니다. 우리가 설계할 때 오랜 시간 변치 않을 내용 혹은 시스템 전체에 영향을 끼치는 부분과 미래를 위해 선택지를 열어두고 싶은 부분을 판단할 수 있어야, 이런 유연성을 제대로 활용할 수 있습니다. 비유적으로 설명해 보겠습니다. 하나였던 상자를 둘로 나누려면, 둘로 나눴을 때 각각 용도가 따로 있어야 가치가 있겠죠. 같은 용도로 쓰는데 불필요하게 나눈다면 번거로움만 더할 뿐입니다. 결과적으로 느슨한 결합을 제대로 구현하려면, 타입 정보를 담는 부분과 구체적인 실행 로직을 담는 부분을 나누는 일이 프로그래머 자신의 사고와 작업 방식에 도움을 줄 수 있어야 합니다.

2. 분산 프로그래밍 형태에서의 느슨한 결합

인터페이스 결합이 중요하지 않은 경우

위키피디아의 '느슨한 결합' 두 번째 정의에서 인터페이스의 결합이 하위 영역에 포함된다고 되어 있는데요. 사실 인터페이스의 결합은 전제에 따라 너무나 다른 내용으로 느껴질 수 있습니다. 인터페이스에 대한 정의를 두 개로 두고 결합에 대해 설명해 보겠습니다. 먼저 자바를 처음 공부할 때를 떠올려 보았습니다. 그때는 자바 언어를 만드는 사람들이 제공하는 공용 프로그래밍 요소에 대한 사용법을 API 문서라고 불렀습니다. 지금도 구글링을 해보니 '생활코딩'에 비슷한 내용이 보입니다.

---

4 옮긴이_ *https://brunch.co.kr/@graypool/520*

기본 패키지와 사용자 정의 로직

그림 8-2 API 문서 예시 〈출처: 생활코딩〉

자바 언어 사용에 꼭 필요한 클래스들을 이용하기 위해서 프로그래머에게 제공하는 인터페이스라는 뜻이 바로 '애플리케이션 프로그래밍 인터페이스Application Programming Interface(API)'입니다. 여러분이 자바로 프로그램을 작성한다면 해당 API를 구현한 파일에 의존하게 됩니다. 대부분의 경우 해당 파일이 있어야 돌아가고, 강한 결합으로 묶이는 경우가 많습니다. 하지만 이 경우, 결합의 정도는 크게 중요하지 않습니다.

결합의 정도가 중요한 이유는 프로그램이 변해야 하는 경우에 발생합니다. 따라서, 언어를 구성하는 구성요소는 상대적으로 느리게 바뀌기 때문에 결합의 정도가 그리 중요하지 않습니다.

결합의 중요성이 크게 발생하는 API의 전형은 API를 쓰는 프로그램과 API를 제공하는 프로그램이 서로 다른 프로그래머 혹은 다른 회사에 의해 빈번하게 변경될 수 있는 상황입니다. 앞서 말한 대로 프로그래밍 언어가 제공하는 API는 변경 요구를 받아들이는 기간이 길고, 바뀌지 않아도 당장 큰 문제가 없는 경우가 많습니다. 자유 경쟁하는 시장 상황에서 정말 불편하면 프로그래머가 언어를 바꾸면 됩니다.

제가 아는 개발자들 중에서 몇몇은 자바로 만들어진 스프링 프레임워크는 계속 쓰고 싶지만, 자바 언어의 표현력에 실망하며 스프링 프레임워크를 코틀린이라는 언어와 함께 쓰는 이른바 '코프링' 조합을 쓰기도 합니다. 대체재가 있다면 결합이 큰 문제가 되지 않을 수 있다는 말이죠.

이와 달리 매일 바뀌는 기능을 써야 우리 회사의 시스템 혹은 서비스를 만들 수 있는 상황이라면 어떨까요?

느슨한 결합의 전형적인 사례: 오픈 API 혹은 REST API를 통합 결합

인터넷 서비스를 제공하는 대부분의 기업들은 인터넷이 제공하는 네트워크라는 인프라 위에서 구동하는 API를 활용하여 프로그램을 결합합니다. 방대한 구성을 가능하게 하는 웹의 기본 원리에 충실한 형태를 띤 분산 API를 REST API라고 하며, 널리 쓰이고 있습니다. 하지만 정확하게 말하면 REST 형태가 아닌 원격 API 호출 방식도 많이 쓰이고, 공개나 개방 정도를 강조하는 표현인 오픈 API라는 표현도 자주 쓰이는데, 이들 모두는 한 가지 공통점을 갖고 있습니다.

바로 서로 다른 서버에서 구동하고 네트워크 통신 규약에 따라 결합한다는 사실입니다. 이는 앞서 언급한 느슨한 결합을 구현하기 좋은 방식입니다. 구체적으로 프로그램을 어떻게 만드느냐에 대해서는 각자 알아서 할 수 있습니다. 서로 다른 회사나 개발팀이 함께 일하는 데 자유를 제공하는 좋은 방법이고 '느슨하다'는 형용사가 잘 어울립니다. 또한, 서로 역할을 분배하는 시점(사업적 제휴와 같은 협력)에서는 주고받는 데이터의 형식이나 순서, 데이터양에 대해서만 약속하면 됩니다. 앞서 사용한 기술적 표현으로 나타내면 설계 시점의 결합이 강하지 않다고 표현할 수 있습니다.

왜냐하면 서로 다른 프로그래밍 언어를 써도 무방하기 때문에 문화적 결합이 필요하지 않습니다. 강력한 팀으로 일해야 할 이유가 없는 것이죠. 그리고, 데이터베이스 결합이 없어서 데이터 이관과 같은 노력이 많이 들어가지도 않습니다.

API를 매개로 설명한 내용이 바로 분산 프로그래밍 형태에서 '느슨한 결합loosely-coupled'의 전형적인 쓰임새입니다.

3. 단위와 경계를 만드는 느슨한 결합

마지막으로 단위와 경계를 만들 때 '느슨한 결합'이 어떤 효과를 발휘하는지 설명하겠습니다. 복잡한 일을 하기 위해서는 공통된 단위가 필요합니다. 단위에 대한 배경지식은 제가 이전에 쓴 '1이라는 수와 경계 그리고 단위의 문제'[5]란 글을 참조하실 수 있습니다. 여기서는 프로그래밍에 한정하여 단위를 말해보겠습니다.

몇 년 전에 객체지향 프로그래밍과 함수형 프로그래밍에 대한 논란이 유행한 일이 있습니다. 여기서 간단히 내용을 설명할 수 없을 정도로 복잡한 쟁점을 갖고 있습니다만, 복잡한 프로그래밍을 다룰 때의 핵심 단위에 대한 논쟁이라고 말할 수 있습니다. 객체는 상태 관리의 단위가 되는 이점을 갖고 있는데, 반면에 해당 객체를 쓰는 프로그램(클라이언트)의 관점에서는 상태에 따라 다른 결과가 반환되는 것을 원치 않는 쓰임새가 늘어난 듯합니다. 그래서 안정적으로 반복 처리하고 싶은 업무를 맡기는 새로운 단위(혹은 방식)가 필요했다고도 볼 수 있습니다.

이런 단위는 왜 만들까요? 프로그래밍에서는 메모리에 구동하는 단위를 일원화해서 복잡한 연산을 구성하기 위해 명령어 덩어리가 필요합니다. 그것을 해당 도메인에서 사람들이 다루기에 적합한 형태로 만들어야 쉽게 찾아 고칠 수 있겠죠. 이것이 생산성에 절대적인 영향을 끼칩니다.

그런 것들이 물리적으로는 '파일'이지만, 도메인에 어울리는 연산 방식을 담기 위

5   옮긴이_ https://brunch.co.kr/@graypool/353

해 프로시저, 객체, 함수와 같은 식으로 만들어져 쓰이고 있습니다. 그런데 단위를 통일한다고 해서 우리가 다루고 싶은 복잡한 인간의 문제가 단순해지는 것은 아닙니다. 그래서 그런 단위들이 복잡한 의존 관계로 얽히게 됩니다.

결과적으로 언젠가는 협업을 위한 덩어리가 필요하게 됩니다. 앞서 말한 단위와는 다른 무언가가 필요한데, 그것이 저는 경계 boundary 라고 생각합니다. 경계란 표현을 적극적으로 쓰게 된 계기는 '경계 설정은 소프트웨어 설계의 핵심 활동'[6]이란 글에서 다뤘습니다. 이 글에서는 느슨한 결합과 경계의 관련성에 초점을 맞춥니다.

경계를 만들면 경계 밖의 문제에 대해서 자유로워질 수 있습니다. 하지만, 복잡한 문제를 풀려면 결국은 연결해야 합니다. 그래서, 네트워크로 분산된 시스템으로 경계를 이룬 후에 경계면에 해당하는 API를 노출하여 필요한 만큼만 결합하는 방식이 바로 경계를 활용하는 예시가 되기도 합니다. 이렇게 하면 연관성에 따라 문제를 표현하는 코드를 나누어 다룰 수 있으므로 효과적인 협업이 가능합니다.

지금까지 세 가지 관점으로 느슨한 결합의 이점을 설명했습니다. 처음 시도하는 설명이라 스스로도 조금 낯설지만 적어도 설계 과정에서 매우 중요하다는 느낌 정도는 전달할 수 있을 것이라는 기대를 합니다. 여러분도 활용해 보시기를 권합니다. 저는 소프트웨어 업계에 있는 내내 셀 수도 없이 잘 활용해 왔으니까요.

....

6 옮긴이_ https://brunch.co.kr/@graypool/543

소프트웨어 '설계'의 정의는 변해야 한다

2023년 2월과 3월에 썼던 두 편의 설계 관련 글이 계기가 되어서 개인 브런치[1]에 틈이 날 때마다 생각을 기록하기 시작했습니다. 또한, 그 글들을 정리하여 이 책에도 담았죠.

- 2월에 쓴 글: 소프트웨어 설계 20년 해 보고 깨달은 '좋은 설계'의 조건[2]
- 3월에 쓴 글: 느슨한 결합(loosely coupled) 원칙을 활용한 소프트웨어 설계[3]

19편의 기록을 남기면서 설계에 대한 생각을 꾸준히 하는 중에 마침 동료의 모델링 과정을 도우면서 새롭게 느끼는 점을 공유합니다.

설계도의 좋은 쓰임새는 무엇인가

개발자가 아닌 동료가 업무 프로세스를 정리하며 개발자를 돕고자 하는 상황이었습니다. 저는 그에게 모델링을 해 보라고 권했습니다. 처음 그렇게 권한 의도는 그가 업무를 구성하는 핵심 지식을 빠르게 파악할 수 있도록 돕기 위함이었습니다.

---

1 옮긴이_ https://brunch.co.kr/brunchbook/softwaredesign
2 옮긴이_ https://yozm.wishket.com/magazine/detail/1884/
3 옮긴이_ https://yozm.wishket.com/magazine/detail/1926/

모델링 방법으로는 상태도를 권했는데, 다른 방법을 생각할 수도 있었지만, 교류가 많은 시스템 특성을 고려할 때 먼저 상태도를 그리는 것이 좋다는 생각이 들어서였습니다. 다양한 요인에 의해 시스템 전반의 상태가 어떻게 바뀌는지를 아는 일은 굉장히 중요한 일이라고 여겼기 때문이죠. 물론, 목록을 만들어 기록할 수도 있겠지만, 그림 형태로 그려 나가면 정보가 목적을 향해 응집되는 효과가 있습니다.

몇 차례 수정이 가해진 후에 동료의 그림은 다음과 같은 형태가 되었습니다.

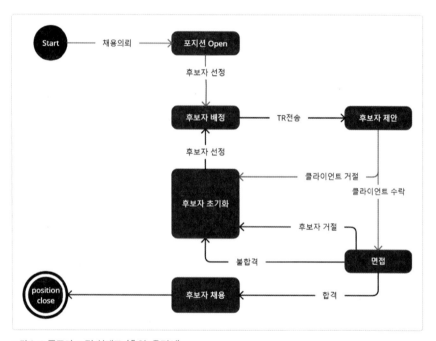

그림 9-1 동료가 그린 상태도 〈출처: 옮긴이〉

그런데 동료는 이 그림을 다 그리자마자 이렇게 자문하는 것이었습니다.

"이제는 뭘 해야 하죠?"

저는 그가 지금까지의 성취를 간과하고 있다고 생각했습니다. 사실 그림이 단번에 그려질 수는 없습니다. 더군다나 모르는 일을 대상으로 다룰 때는 더욱 그렇죠. 수 없이 질문하고 생각하는 과정에서 생소한 업무 지식을 배웁니다. 동료는 저 그림을 그리면서 논리적으로 옳고 그름을 따져 물었고, 사용자뿐 아니라 개발자를 포함한 다른 동료들과 소통을 할 수 있었습니다.

다시 말해서, 그림을 그리는 순간 거기에 이미 뜻을 다 이룬 하나의 쓰임새가 있는 것입니다. 그런데 보통은 이를 간과합니다. 개발자에게 도움을 주고 싶다는 마음이 너무 앞선 나머지 스스로 문제 정의하는 과정을 과소평가하는 경향이 있습니다. 스스로 정리되지도 않은 말을 너무나도 쉽게, 그것도 자신 있게 전달하는 사람들이 많은 현실을 고려하면, 엄밀한 도식 과정으로 무엇을 전달하고, 무엇을 전달하지 말아야 하는지를 스스로 묻고 따지는 일은 사실 굉장히 중요합니다.

아무튼 그는 상태도를 그 완성한 자체에 쓰임새가 있다고 생각하기보다, 상태도가 개발자에게 도움을 주는 데 쓰여야 한다는 마음이 강했는지, 다시 막막해졌습니다. 그림을 설계도라고 생각하면 개발자에게 전달하여 개발에 도움을 줘야 합니다. 하지만 그가 그린 그림에는 개발자가 원하는 정보가 충분하지 않아 당장의 효용성이 분명하지 않았습니다. 그리고 그의 경험 속에서는 아무리 고민해 봐도 개발자들에게 어필할 수 있는 아이디어가 나오지 않습니다.

왜냐하면, 언어를 사용한 대화는 서로 공유된 기억이 있을 때만이 성립하기 때문입니다. 다시 말해서, 개발 경험이 전무한 동료는 개발자와 교류하며 공유된 기억이 생기기 전까지는 아무리 노력해도 개발자가 원하는 것을 모르거나 공감하지 못할 가능성이 매우 높습니다.

그렇다고 개발 경험이 없다면 소프트웨어 개발에서 자신의 역할이 없다고 말하는 것은 아닙니다. 그렇다면, 이 동료처럼 개발 경험이 없는 사람이 개발에서 역할을 하려면 어떻게 해야 할까요?

이렇게 동료의 입장에서 업무 정의에 대한 고민을 하는 과정에서 하나의 단서를 얻었습니다. 소프트웨어 설계에 대해 잔뼈가 굵다고 믿었던 제 경험[4]에서도 배우지 못하던 발상인데, 그 내용이 독자님 중에 단 한 분에게라도 도움을 줄 수 있기를 바라는 마음으로 글을 씁니다.

현대적인 소프트웨어 설계, 새로운 정의가 필요하다

일단, 두괄식으로 주장부터 제시하죠. 먼저 저의 주장은 '전통적인 설계에 대한 인식을 벗어나자'는 것입니다.

소프트웨어 개발의 양상은 이미 상당히 바뀌었습니다. 소프트웨어를 원하는 고객이 돈을 들고 개발자를 찾아가 원하는 것을 만들어 달라고 하고 무작정 기다리던 시절과는 세상이 많이 바뀌었습니다. 인터넷 기업은 전통적 의미에서는 고객이어야 할 사람이 사장이 되고 개발자가 같은 회사 직원으로 일하는 경우라고 할 수도 있습니다. 앱스토어를 보면 개발자가 스스로 사업을 해서 먹고사는 일도 가능합니다.

여기서 저는 현재의 개발 양상이 전통적인 개발 방식과 어떻게 달라졌느냐를 자세히 설명할 생각은 없습니다. 다만 과거의 전형적인 역할 구분이 별로 소용없는 현실을 지적하는 것입니다. 그래서, 저는 소프트웨어 설계를 조금 더 포괄적으로 정의할 필요성이 있다고 느낍니다. 현재 수준에서 저의 정의는 이렇습니다.

'소프트웨어 설계란, 배경지식이 다른 사람과 함께 힘을 합쳐서 최상의 사용자 경험과 고객 가치를 전달하기 위한 소통 활동으로, 그 과정에서 최종 구현(코딩)을 제외한 다양한 중간 산출물을 도구로 활용할 수 있습니다. 하지만, 건축업처럼 긴 시간 보편적으로 쓰인 표준이 없어서 도면 자체가 중요하지 않다는 점에 주의할 필요는 있습니다.'

---

4   옮긴이_ https://yozm.wishket.com/magazine/detail/1884/

즉, 앞선 에피소드에서 소개한 동료처럼 개발을 모르는 이들이 다른 모델링 기법을 배워 개발자가 이해할 수 있는 설계도를 그려야 하는 게 아니라, 개발 지식이 없는 사람과도 소통할 수 있는 것이라면 어떤 것이든 설계 도구로 인정해야 한다는 것입니다.

설계의 형식과 표기법이 본질은 아니다

사실 동료는 도메인 스토리텔링[5]이라는 표기법으로 소프트웨어 활용에 대해 익숙하게 묘사하고 사용자, 개발자, 디자이너와 협업한 일이 있습니다.

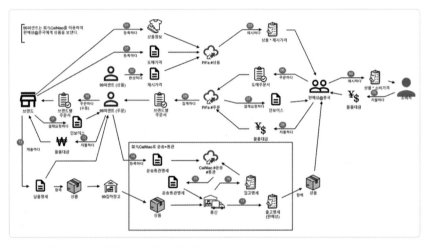

그림 9-2 동료가 그린 도메인 스토리텔링 그림 〈출처: 옮긴이〉

도메인 스토리텔링은 서로 다른 배경을 가진 사람들을 모아 도메인 전문가가 도메인에 관한 스토리를 전달하고 그것을 참가자들이 시각화하면서 도메인 지식을 비즈니스 소프트웨어로 변환하는 협업 모델링 기법입니다. 도메인 전문가가 도메인의 작동 방식을 이야기하면 참가자 중 한 명이 그것을 아이콘, 화살표, 텍스트 따

---

5 옮긴이_ *https://brunch.co.kr/@graypool/278*

위로 구성된 다이어그램으로 기록하는데, 그 기록을 통해 도메인 지식이 잘 전달되었는지, 참가자들이 잘 이해하고 있는지를 즉각적으로 확인할 수 있습니다. 피드백에 따라 시각화 자료를 개선하면서 서로 다른 배경을 가진 참가자들이 모두 이해할 수 있도록 돕는 방식입니다. 이 방식은 시스템 사용자와 그가 수행하는 작업 그리고 그 결과물을 비교적 자유로운 도식으로 표현할 수 있습니다. 흐름이나 교류를 표기할 때는 매우 훌륭합니다. 하지만 모든 경우에 적합한 것은 아니죠.

한편, 같은 도메인 스토리텔링 표기법을 쓴다고 해도 표현하는 내용에 따라 그림을 다르게 그려야 합니다. 마치 자연어를 써도 담고 있는 이야기가 제대로 전달되기 위해 대화법이 필요한 이치죠. 다음 그림은 동료가 사용자 구분에 따라 접근하는 정보가 달라지는 점을 일목요연하게 표현한 그림입니다.

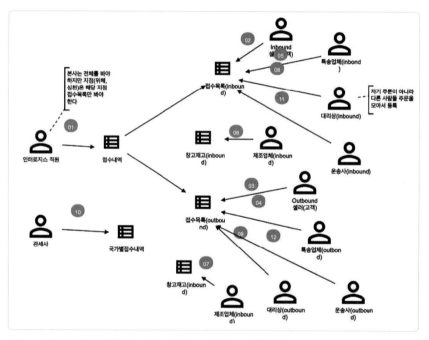

그림 9-3 동료가 데이터 중심으로 그린 도메인 스토리텔링 그림 〈출처: 옮긴이〉

요약하자면, 동료는 도메인 스토리텔링으로 표현하는 내용에 대한 활용법은 알고 있지만 상태도로 그린 내용을 활용하는 방법에 대해서는 경험이 부족했습니다. 하지만, 여기서 문제의 초점은 표기법이 아닙니다. 제 생각에는 동료는 일시적인 정리와 전달을 위해 모델링을 하는 방법만 알고 있는 듯합니다.

앞선 상태도는 UML^{Unified Modeling Language}이라는 형식을 따르기는 했지만, 지식을 알아나가는 과정에서 그려지는 그림은 특정한 형식이 중요하지 않을 수도 있습니다. 예를 들어 업무를 잘 아는 사람이 개발자를 만나서 설명하는 경우라면 다음 그림과 같이 서로 알 수 있는 정도로만 개념이나 흐름을 표현할 수 있습니다.

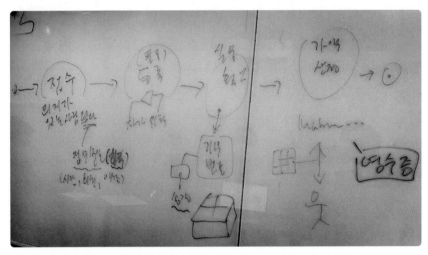

그림 9-4 옮긴이가 프로그래머들에게 업무 흐름을 설명하며 그린 그림 〈출처: 옮긴이〉

이러한 소통은 결과물을 만들어가는 중간 과정이고, 종국에는 최종 결과물로 드러나는 화면 혹은 사용자 경험을 통해 확인이 됩니다. 그림 자체는 이후에 쓰임새가 없어지기 때문에 화이트보드에 그리고 지운다 해도 아무런 문제가 되지 않죠.

사실 앞서 동료가 작성한 상태도의 첫 번째 형태도 종이에 펜으로 그린 그림이었습니다. 내가 파악한 내용이 맞는지 확인할 때부터 모델링 도구를 이용하여 번거롭게 작업할 이유는 없습니다.

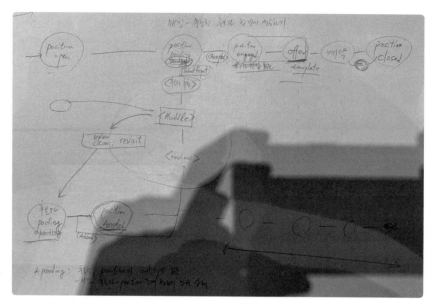

그림 9-5 동료가 상태도를 그리기 시작할 때 손으로 그린 그림 〈출처: 옮긴이〉

설계 형식과 표기보다 소통이 먼저다

물론 모델링 도구를 활용하는 이점도 있습니다. 반복해서 수정할 필요가 있는 경우에 유용합니다. 펜으로 종이에 그림을 그린 경우에는 새로운 내용을 추가하고자 할 때 기존 내용을 지울 수 없거나 종이에 복잡한 얼룩이 남을 수 있으니 소프트웨어 도구를 사용하는 것이 더 용이합니다. 특히 새로 알게 된 내용을 수정하는 과정에서, 이전 내용이 완전히 삭제되는 게 아니라 내가 배운 기록하고 확인할 수 있다는 이점도 있죠.

그럼에도 중요한 것은 형식이나 표기가 아닙니다. 개발자가 활용할 수 있도록 하는 설계 형식이나 표기라는 것에 정답은 없습니다. 다만 같은 상태도라도 본인의 경험에 따라 그것을 응용하는 방식이 달라지는 것뿐입니다. 개발자와 더 많이 소통하고 여러 번 프로젝트를 진행할수록 그것은 더욱 분명해집니다. 중요한 것은 어떤 모델링 기법으로 어떤 설계도를 그리느냐가 아니라 소통이 가능하게 하는 것이죠. 간단한 표를 활용해서도 전달하고자 하는 바를 전할 수 있습니다.

다음 그림은 제가 실제로 특정 프로젝트에서 그리고 사용했던 상태도와 관련 표입니다. 상태의 변화를 어떻게 감지할 것인지, 그리고 정상적으로 상태가 바뀌었다는 것을 어떻게 확인할 수 있는지 규정한 내용의 일부입니다.

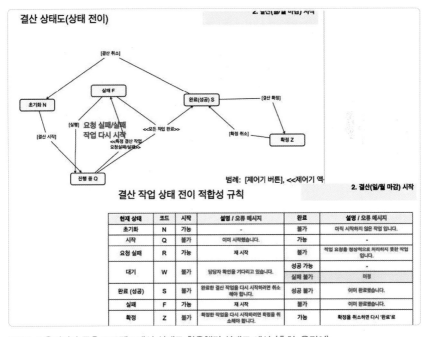

그림 9-6 옮긴이가 금융 프로젝트에서 실제로 활용했던 상태도 예시 〈출처: 옮긴이〉

상태도와 쌍을 이루는 표를 이용하여 개발팀에서는 테스트 케이스를 만들었습니다. 다양한 상태 변화에 대해 모두 테스트를 했는지 그리고 각각 어떻게 테스트를 할 것인지에 대한 요약 정보는 상태도와 이를 보완하는 표로 제시합니다. 물론, 실제로는 인용한 상태도 하나가 아니라 몇 가지 유형으로 나눈 여러 쌍의 상태도가 있었지만 그 부분은 이 글의 핵심과 맞지 않으므로 넘어가겠습니다.

여기서 중요한 것은 업무 흐름을 이해하기 위해 정리한 상태도가 그 목적 이외의 쓰임새를 가질 수 있다는 점입니다. 간단한 보완을 통해 협업에 활용할 수도 있는 것이죠. 저의 경우 상태도에 표를 더해 그다음 업무로 이어질 수 있도록 한 것이고요.

저에게는 있고, 동료에게는 없는 경험이 바로 이렇게 상태도를 구심점으로 사용하여 다양하게 응용해 본 경험입니다. 또한, 동료가 상태도를 그릴 때 저의 도움이 필요했던 이유 역시 개발자 출신이 아니라 시스템 구성에 대한 감이 없기 때문입니다. 개발 초기라 시스템의 대략적인 덩어리 구분이 확연히 구현하기 전이라 아키텍처에 대한 구상이 머릿속에 있는 저와 그렇지 못한 동료 차이에 배경지식 차이에 의해 제 도움이 일부 필요했던 것이죠. 어쨌든 상태도라는 그 형식 자체의 문제는 아닌 것입니다.

설계 방법은 각자의 팀에 맞게 만들어 간다

이 글이 독자들에게 가치가 있으려면 나부터 무언가 따라 해 보거나 응용할 수 있어야 한다고 생각합니다. 앞서 동료의 경험 부족도 그것을 문제로 삼을 수는 없습니다. 경험이 적은 사람이 설계 방법을 배워야만 일을 할 수 있는 것이 아니라는 의미입니다. 동료가 한순간에 그 경험을 채울 수는 없으니 경험이 없어도 당장 실천할 수 있는 방법이 필요합니다.

이를 보편적인 상황으로 확대해 보면, 팀의 구성과 개인의 역량이 모두 다른데 어떻게 할 수 있는지 질문을 던질 수 있습니다. 가장 좋은 방법은 나부터 시작하고 확산시키는 방법입니다. 나부터 해야 한다는 점을 분명히 하고 싶습니다. 스스로 효능을 모르는 방법을 다른 사람에게 강요하는 일은 설득력을 가질 수 없습니다. 그래서 실용을 체험하고 공감할 수 있는 형태로만 확산이 가능하다고 생각합니다.

과거에 UML의 경우는 UML이라는 표준 자체를 정의하는 기관과 해당 표준을 이용한 도구를 만드는 기업들이 주도했습니다. 표준 자체의 통용이 이익에 부합하니까 그렇게 할 수 있었습니다. 그런데, 빠르게(적은 비용으로) 개발을 하고 사용자가 만족하는 인터넷 서비스를 만들거나 매출이 일어나는 제품을 만드는 팀 입장에서는 표준 자체는 부차적인 문제입니다.

그래서 설계도는 팀의 문제와 팀의 구성에 맞춰서 서서히 만들어가야 합니다.

소프트웨어 설계라는 포괄적인 활동

아무튼 최근에 동료를 도운 경험은 흥미로운 자극이 되었습니다. 과거에 설계를 실무로 다뤘을 때는 개발자를 겸하거나 개발로 이어지는 설계를 담당하는 경우가 많았습니다. 그런데, 이번에는 개발자와 무관하게 업무를 파악하는 동료를 돕는 과정에 간헐적으로 참여하면서 전과 다른 입장에서 '설계란 무엇인가?'라는 질문을 던지게 되었습니다.

코드로 이어지는 완결되는 설계 업무가 아닌 경우에도, 그 일을 하는 사람이 스스로 '설계'로 인식하는지도 궁금했습니다. 그러던 차에 과거에 쓴 글에서 인용한 이미지가 생각의 길을 열어 주었습니다. 다음 그림의 저자가 그림으로 표현한 의도와 맥락은 비슷하지만 다르게 생각해 보았습니다. 그래서 이미지에 글자를 올려 조금 수정하였습니다.

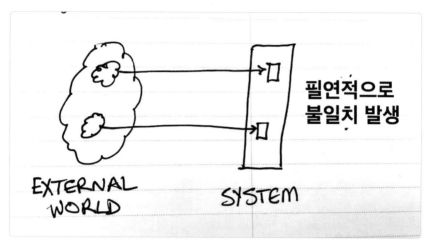

그림 9-7 저자가 그린 그림을 옮긴이가 응용한 그림 〈출처: 옮긴이〉

소프트웨어를 만드는 일은 기본적으로 외부 세계에 대한 우리의 인식을 시스템으로 구현하는 일입니다. 그림에서 저자가 작은 구름으로 묘사한 외부 세계의 한 부분은 '현상' 혹은 '개념'이라고 할 수 있습니다. 사실 뭐라고 불러도 결과는 같습니다. 정교한 단위로 포착하는 것이 아니기 때문입니다.

반면에 네모 상자로 그려진 시스템 내부의 구성요소는 이들에 대응해야 합니다. 구성요소를 보편적으로 기능이라고 부르는 경우가 많지만, 이 역시 정확하게 단위화 하는 경우는 드물어서, 정확하게 무엇이냐 하는 질문은 대개의 경우 그다지 중요하지는 않습니다.

그리고 그림은 단순하게 표현하려고 일대일 대응으로 그렸지만, 실제로 그렇게 하기는 어렵습니다. 총체적으로 생각하거나 필요한 개념을 모두 담아내야 사용자가 만족하게 됩니다. 그렇지 못하면 수정을 해야 하고, 제때 수정을 못하거나 수정을 해도 필요한 개념을 모두 충족하지 못하면 시스템이 버려질 수도 있습니다.

열심히 해서 시스템이 잘 작동한다고 해도 필연적으로 외부 세상을 그대로 대응시킬 수 없기 때문에 반드시 불일치가 발생합니다. 하지만, 시스템 내부적으로는 나름의 일관성을 유지하도록 통합해야 합니다. 이 때문에 시스템의 상태를 알아야 하는 경우가 발생합니다.

스스로 묻고 따지는 시간을 가지면서, 기본적으로 소프트웨어는 외부 세상을 바라보는 현상적 이해를 구현한 결과란 점을 깨달았습니다. 그리고 나니 설계란 소프트웨어 구현으로 가는 과정에서의 다양한 이해와 의사결정 양상을 총체적으로 담을 수 있는 말이란 점도 확인할 수 있었습니다. 덤으로 글의 핵심 주제는 아니지만, 상태도가 필요한 본질적인 이유도 알게 되었습니다.

마치며

동료를 돕는 과정이 나에게도 피드백을 합니다. 과거의 경험으로 배운 사실이 지금도 유용한지 항상 물어야 합니다. 그리고 나에게 쓸모 있었다고 해서 그에게도 도움이 될지는 확실치 않다고 생각해야 합니다. 이런 여지를 두고 조언하고 상대의 반응을 보면, 나 스스로에게도 상당한 피드백이 됩니다.

이 글은 최초에는 상태도 그리기를 돕는 과정에서 문제를 바라보았지만, 기록으로 남겨져 있던 동료의 행적과 과거 제가 썼던 설계에 대한 글이 생각을 발전시켰습니다. 그래서 설계란 결국 현실 세계의 현상을 대상으로 쓸모 있는 기능을 만들기 위해 개념을 잘 정의하고 조직화하는 과정에서 구현에 도움을 주는 다양한 활동이라는 점을 확인할 수 있었습니다.

글은 여기서 마무리하지만, 이렇게 배운 자극을 통해 과거의 제 경험이 지금의 상황에는 들어맞지 않는 부분도 발견했습니다. 그래서, 이후에는 앞서 썼던 두 개의 글도 이번에 받은 영감으로 다시 해석하는 기회를 만들어 보기로 했습니다.